Español

Berlitz Languages, Inc.
Princeton, NJ
USA

Cover
Bogotá Gold Museum, Colombia
Copyright © Corel Corporation 1995

Seventh Printing
Printed in Canada – January 2000

Berlitz Languages, Inc.
400 Alexander Park
Princeton, NJ 08540
USA

ÍNDICE

Este libro se ha diseñado para los alumnos de los niveles 1 y 2 de Berlitz. Se usará en conjunción con la instrucción recibida en clase.

El objetivo del programa es que el alumno adquiera habilidades prácticas de comunicación oral en el menor tiempo posible. No es necesario que tenga conocimiento alguno del idioma.

Integran el curso un libro y un audioprograma para el alumno, así como un manual y un libro de ilustraciones para ser usado por el profesor en clase.

De vez en cuando, el profesor asignará tarea que el alumno hará en casa.

El programa se divide en doce capítulos. Cada capítulo consiste en diálogos y lecturas seguidos de varios ejercicios para verificar la comprensión del alumno, así como para practicar las estructuras gramaticales y a la vez ampliar su vocabulario.

Nos alegra añadir este curso a nuestro material de enseñanza y le deseamos el mayor de los éxitos en sus estudios.

CAPÍTULO

1

Srta. Salinas:	Buenos días, Sr. Campbell. ¿Cómo está?
Sr. Campbell:	Muy bien. ¿Y Ud.?
Srta. Salinas:	¡Bien, gracias! Sr. Campbell, le presento al Sr. Ibáñez. El Sr. Ibáñez es mexicano, de Monterrey.
Sr. Campbell:	Mucho gusto, Sr. Ibáñez.
Sr. Ibáñez:	Encantado. ¿De qué nacionalidad es Ud., Sr. Campbell?
Sr. Campbell:	Soy inglés, de Oxford.
Sr. Ibáñez:	¡Pero … habla español muy bien!
Sr. Campbell:	Gracias.

¿Es éste el Sr. Ibáñez?
– *Sí, es el Sr. Ibáñez.*
¿Es el Sr. Ibáñez de Acapulco?
– *No, no es de Acapulco.*
¿De qué ciudad es?
– *Es de Monterrey.*

DAVID IBÁÑEZ

CRISTINA SALINAS

¿Es éste el Sr. Ibáñez?
– *No, no es el Sr. Ibáñez.*
¿Quién es?
– *Es la Srta. Salinas.*
¿Es española o venezolana la Srta. Salinas?
– *Es venezolana.*

¿Y quién es este señor?
– *Es el Sr. Campbell.*
¿Es español el Sr. Campbell?
– *No, no es español.*
¿De qué nacionalidad es?
– *Es inglés.*

ANDREW CAMPBELL

¿ES o NO ES?

EJERCICIO 1

Ejemplo: ¿Es de Monterrey el Sr. Ibáñez? *(sí)*
Sí, es de Monterrey.

1. ¿Es francés el Sr. Campbell? *(no)*

2. ¿Es de Oxford el Sr. Campbell? *(sí)*

3. ¿Es mexicana la Srta. Salinas? *(no)*

4. ¿Es venezolana la Srta. Salinas? *(sí)*

5. ¿Es de Chile el Sr. Ibáñez? *(no)*

6. ¿Es de México el Sr. Ibáñez? *(sí)*

ÉSTE y ÉSTA

EJERCICIO 2

Ejemplos: Éste es __el__ Sr. Ibáñez.

__Ésta__ es la Srta. Salinas.

1. Ésta es _____ Sra. Avilés.

2. _____ es la Srta. León.

3. _____ es el Sr. Rivera.

4. Ésta es _____ Srta. Padilla.

5. Éste es _____ Sr. Sandiego.

6. _____ es la Sra. Díaz.

Ést<u>e</u> es **el señor** López.

Ést<u>a</u> es **la señorita** López.

---

señor		Sr.
señora		Sra.
señorita		Srta.

El Sr. Ibáñez es de México. ➩ Es mexican**o**.

La Sra. Torres es de España. Es español**a**.

país	El Sr. … es …	La Sra. … es …
Alemania	alemán	alemana
Brasil	brasileño	brasileña
Canadá	canadiense	canadiense
Estados Unidos	norteamericano	norteamericana
Francia	francés	francesa
Inglaterra	inglés	inglesa
Italia	italiano	italiana
Portugal	portugués	portuguesa

EJERCICIO 3

Ejemplos: El Sr. Palacios es de España.
Es español.

La Sra. Mahler es de Alemania.
Es alemana.

1. La Srta. Latour es de Francia.

2. El Sr. Campos es de Brasil.

3. La Sra. Green es de Londres.

4. La Srta. Tuccini es de Milán.

5. El Sr. Campbell es de Oxford.

6. El Sr. Carlton es de los Estados Unidos.

7. La Sra. Ribeiro es de Portugal.

8. El Sr. Heller es de Berlín.

9. La Sra. Arsenau es de Toronto.

10. La Srta. Oliveira es de Río.

11. El Sr. Rossi es de Italia.

12. El Sr. Michaud es de París.

	país	*ciudad*
David Ibáñez	México	Monterrey
Cristina Salinas	Venezuela	Caracas
Antonio Rivera	Colombia	Bogotá
Elena Díaz	España	Valencia

EJERCICIO 4

1. ¿De qué nacionalidad es el Sr. Ibáñez?

2. ¿Es de Acapulco el Sr. Ibáñez?

3. ¿De qué ciudad es?

4. ¿Es colombiana la Sra. Díaz?

5. ¿De qué nacionalidad es la Sra. Díaz?

6. ¿Es de Valencia?

7. ¿Quién es colombiano, el Sr. Rivera o la Srta. Salinas?

8. ¿De qué ciudad es?

9. ¿Quién es de Caracas?

10. ¿Es mexicana o venezolana?

¿Es un mapa de México? Sí, es un mapa de México. ¿Es México una ciudad? No, no es una ciudad, es un país. ¿Y Monterrey? ¿Es Monterrey una ciudad o un país? Es una ciudad. Es una ciudad de México.

¿Es Madrid una ciudad de México también? No, no es una ciudad de México. Es una ciudad de España. ¿Es Portugal una ciudad? No, no es una ciudad. Es un país. Es un país de Europa. España es un país de Europa también.

Caracas no es un país. Es una ciudad. Es una ciudad de Venezuela. ¿Y Bogotá? Bogotá también es una ciudad, pero no es una ciudad de Venezuela. Es una ciudad de Colombia. Colombia es un país de América del Sur.

EJERCICIO 5

A. *Ejemplo:* ¿Es Santiago una ciudad?
    Sí, es una ciudad.

    1. ¿Es Monterrey una ciudad?

    2. ¿Qué es México?

    3. ¿Es Bogotá una ciudad de Colombia?

    4. ¿Y qué es Chile?

    5. ¿Es Santiago un país?

    6. ¿Qué es Santiago?

    7. ¿Y qué es Caracas?

    8. ¿Es París una ciudad de Francia?

    9. ¿Es Roma un país o una ciudad?

    10. ¿Es Italia un país de América o de Europa?

B. *Ejemplos:* Roma __*es una ciudad de Italia*__ .

                 Portugal __*es un país de Europa*__ .

    1. Río de Janeiro _____.

    2. Toronto _____.

    3. Barcelona _____.

    4. Japón _____.

    5. Berlín _____.

    6. Italia _____.

    7. Lisboa _____.

    8. Tokio _____.

    9. Argentina _____.

    10. Alemania _____.

¡Buenos días!
Yo soy Javier Córdoba. Soy chileno, de Concepción. Soy profesor de español. Yo hablo español y también un poco de inglés.

¡Hola!
Soy Sylvie Bertier. Yo soy francesa, de Dijon. No hablo inglés pero hablo francés y un poco de español. Soy alumna de español.

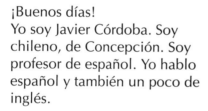

Y Ud., ¿quién es Ud.?
¿Es Ud. alumno de español también?
¿De qué país es Ud.?
¿Habla Ud. un poco de español?

yo	**soy**	**hablo**
Ud. *él* *ella*	**es**	**habla**

	inglés	francés	alemán	italiano
Miguel Palacios	✓✓✓	✓	✓✓	—
Antonio Rivera	✓✓✓	—	✓	✓✓
Elena Díaz	✓	✓✓✓	—	✓✓✓

✓✓✓ muy bien   ✓✓ bien   ✓ un poco   — no habla

El Sr. Palacios habla inglés **muy bien** y también habla **un poco de** francés.

El Sr. Rivera **no habla** francés pero habla italiano **bien**.

EJERCICIO 6

1. ¿Habla francés Antonio Rivera?

2. ¿Qué idioma habla muy bien el Sr. Rivera?

3. ¿Quién habla un poco de francés, el Sr. Palacios o la Sra. Díaz?

4. ¿Qué idioma no habla Miguel Palacios?

5. ¿Habla un poco de inglés la Sra. Díaz?

6. ¿Quién habla alemán bien?

7. ¿Qué idioma no habla la Sra. Díaz?

8. ¿Quién habla italiano y un poco de alemán?

EJERCICIO 7

Ejemplo: Sarah Bower es __*inglesa*__ , de Londres.

1. – "De qué ciudad es Ud.?"
   – "Soy _____ Santiago."

2. ¡Ud. _____ español muy bien!

3. El Sr. Hurtado _____ mexicano.

4. – "¿Cómo está?"
   – "_____, gracias."

5. El Sr. Campbell es inglés _____ no es de Londres.

6. La Sra. Díaz es de España pero no es de Madrid.
   ¿De qué _____ es?

7. Yo _____ de Valencia.

8. El director es de México. Es _____.

9. Yo no _____ inglés pero hablo francés muy bien.

10. ¿De _____ nacionalidad es el Sr. Campbell?

11. Éste es el _____ Córdoba.

12. La secretaria habla francés y _____ alemán.

qué
de
también
hablo
bien
pero
soy
Sr.
es
ciudad
habla
inglesa
mexicano

EJERCICIO 8

A. *Ejemplos:* Sí, el Amazonas es un río.
   ¿Es el Amazonas un río?

   No, Juan no habla japonés.
   ¿Habla Juan japonés?

1. Sí, Perú es un país.

2. No, éste no es el Sr. Marín.

3. Sí, el Sr. Álvarez es el profesor.

4. Sí, hablo un poco de español.

5. No, Londres no es una ciudad de España.

6. Sí, la Sra. Velasco es argentina.

7. Sí, Ricardo habla inglés.

8. No, no soy americano.

9. No, Roma no es un país.

10. No, Ana no es la alumna.

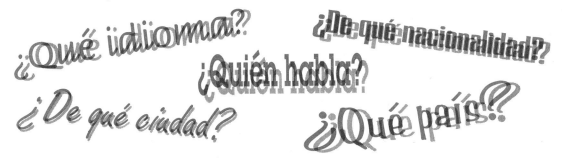

B. *Ejemplo:* Es **Suiza.**
   ¿Qué país es éste?

1. La Srta. Alonso habla **español.**

2. Elena es **de Valencia.**

3. El Sr. Balado es **chileno.**

4. **Sonia** habla portugués.

5. Es **Francia.**

6. **La Sra. Morán** es de España.

7. Es **Perú.**

8. Hablo **italiano.**

9. Yo soy **de Roma.**

10. Soy **inglés.**

0	cero	7	siete	14	catorce
1	uno	8	ocho	15	quince
2	dos	9	nueve	16	dieciséis
3	tres	10	diez	17	diecisiete
4	cuatro	11	once	18	dieciocho
5	cinco	12	doce	19	diecinueve
6	seis	13	trece	20	veinte

EJERCICIO 9

A. *Ejemplo:* 7 ___**siete**___

1. *12* _____

2. *15* _____

3. *5* _____

4. *8* _____

5. *19* _____

6. *11* _____

7. *3* _____

8. *14* _____

B. *Ejemplo:* cuatro ___**4**___

1. trece _____

2. veinte _____

3. dieciocho _____

4. seis _____

5. nueve _____

6. dos _____

7. diez _____

8. dieciséis _____

¿Quién es?
– Éste es el Sr. Ibáñez.
– Ésta es la Sra. Díaz.
       la Srta. Salinas

¿Es éste el Sr. Ibáñez?
– No, no es el Sr. Ibáñez.
  Es el Sr. Campbell.

*¿Es el Sr. Ibáñez de Chile o
de México?*
– Es de México.

¿De qué nacionalidad es él?
– Es mexicano.

¿De dónde es la Srta. Salinas?
– Es de Venezuela.

¿Es Venezuela una ciudad?
– No, Venezuela no es una ciudad.
  Venezuela es un país.

¿Es Caracas una ciudad o un país?
– Caracas es una ciudad.
  Es una ciudad de Venezuela.

¿De qué ciudad es la Sra. Díaz?
– Es de Valencia.

¿Habla la Sra. Díaz italiano?
– Sí, habla muy bien italiano.

*¿Habla también italiano
el Sr. Palacios?*
– No, no habla italiano.

¿Qué idiomas habla?
– Habla español, inglés, alemán
  y un poco de francés.

Expresiones:
¡Hola!
Buenos días.
Buenas tardes.
¿Cómo está Ud.?
Bien, gracias. ¿Y Ud.?
Muy bien, gracias.
Mucho gusto.
Igualmente.

Números:
0 – 20

CAPÍTULO

2

Srta. Salinas:	¡Aló! … Sí,… Sr. Ibáñez … ¡el teléfono! … Es el Sr. Rossi.
Sr. Ibáñez:	Gracias. Pero … ¿dónde está el teléfono?
Srta. Salinas:	Está ahí, encima de la mesa, debajo del periódico.
Sr. Ibáñez:	Ah, muchas gracias.
Srta. Salinas:	De nada.

Srta. Salinas:	Sr. Ibáñez, ¿de qué nacionalidad es el Sr. Rossi?
Sr. Ibáñez:	¿El Sr. Rossi? Es italiano.
Srta. Salinas:	¡Ah, italiano! Y … ¿dónde está? ¿Está en Italia?
Sr. Ibáñez:	No, no está en Italia. Está aquí, en Caracas.
Srta. Salinas:	¿En Caracas? Pero, ¡habla español!
Sr. Ibáñez:	Sí, es italiano pero habla español muy bien.

un periódic**o**

una revist**a**

un libr**o**	**una** taz**a**
un bolígraf**o**	**una** cint**a**
	una sill**a**
un avión	**una** ventan**a**
un coche	
un país	**una** ciudad

☞ **¡Cuidado!**

un mapa
una mot<u>o</u>

EJERCICIO 10

Ejemplos: __una__ mesa

__un__ gato

1. _un_ teléfono
2. _un_ país
3. _una_ ventana
4. _una_ alumna
5. _un_ lápiz

6. _una_ moto
7. _un_ papel
8. _un_ avión
9. _una_ caja
10. _un_ profesor

11. _una_ cenicero
12. _una_ puerta
13. _una_ perro
14. _una_ mapa
15. _una_ bicicleta

UN LÁPIZ ...

¿Es esto un bolígrafo?
– *No, no es un bolígrafo.*
¿Qué es?
– *Es un lápiz.*
¿Es rojo el lápiz?
– *No, no es rojo.*
¿De qué color es el lápiz?
– *Es negro.*

UN LIBRO ...

¿Es esto un lápiz también?
– *No, no es un lápiz.*
¿Es una cinta?
– *No, no es una cinta tampoco.*
¿Qué es?
– *Es un libro.*
¿Es verde el libro?
– *No, no es verde.*
¿De qué color es?
– *Es azul.*

Y UNA CINTA

¿Es esto un libro?
– *No, no es un libro.*
Entonces, ¿qué es?
– *Es una cinta.*
¿Es una cinta de español?
– *Sí, es una cinta de español.*
¿Es roja o blanca la cinta?
– *Es blanca.*

Es un gato.
El gato es negr**o**.

Es una bicicleta.
La bicicleta es blanc**a**.

El libro es ...   *La* mesa es ...

amarill**o**	amarill**a**
blanc**o**	blanc**a**
negr**o**	negr**a**
roj**o**	roj**a**

azul
gris
marrón
verde

EJERCICIO 11

Ejemplo: bicicleta / rojo **Es una bicicleta. La bicicleta es roja.**

1. teléfono / blanco
   ES UN TELÉFONO   EL TELÉFONO BLANCO

2. ventana / azul
   ES UNA VENTANA   LA VENTANA BLANCA

3. autobús / blanco y gris

4. puerta / negro
   ES UNA PUERTA   LA PUERTA ES NEGRA

5. lápiz / verde

6. mapa / azul y verde

7. libro / marrón

8. moto / rojo

Esto es un avión.
Este avión es americano.
El avión americano es blanco.

Esto es otro avión.
Este avión es italiano.
El avión italiano es gris.

¿Es gris el avión americano?
– *No, no es gris.*
¿Qué avión es gris?
– ***El avión italiano** es gris.*

EJERCICIO 12

Ejemplo: ¿Qué gato es pequeño? *(gris)*
   El gato gris es pequeño.

1. ¿Qué bicicleta es blanca? *(japonés)*

2. ¿Qué tren es grande? *(francés)*

3. ¿Qué revista es inglesa? *(grande)*

4. ¿Qué coche es pequeño? *(italiano)*

5. ¿Qué silla es muy pequeña? *(blanco)*

6. ¿Qué cenicero es negro? *(pequeño)*

Ésta es la Sra. Rossi. La Sra. Rossi es italiana, de Roma, pero no está en Roma. ¿Dónde está? Está en Niza. Niza es una ciudad, pero Niza no está en Italia. Está en Francia.

> Niza **es** una ciudad.
> Niza **está** en Francia.

NIZA IS A CITY
NIZA IS IN FRANCE

¡Hola! Yo soy Fabio Rossi. Soy alumno de español, pero no estoy en la clase. Estoy en la Plaza Mayor. La Plaza Mayor está en Madrid.

> Yo **soy** Fabio Rossi.
> Yo **estoy** en Madrid.

I AM ___
I AM IN ___

Y Ud., ¿quién es Ud.?
¿De qué país es?
¿Está Ud. en la clase?
¿En qué ciudad está Ud.?

yo	**soy**	**estoy**
Ud. él ella	**es**	**está**

| Es | azul.
grande.
español.
un libro.
un profesor. |

| Está | aquí.
sentado.
en México.
en la clase.
en el suelo. |

EJERCICIO 13

A. *Ejemplos:* Este coche __*es*__ muy grande.

Yo __*estoy*__ en México.

1. Luis no __ES__ de Monterrey.

2. La llave _____ encima de la mesa.

3. Yo __soy__ chileno. ¿Y Ud.?

4. ¿Dónde __ESTÁ__ la alumna? Ella __ESTÁ__ en la clase.

5. La profesora __ES__ de Venezuela.

6. Ud. __ES__ en la clase pero yo __ESTOY__ en casa.

7. ¿De qué color __ES__ la alfombra?

8. ¿_____ sentado o parado el profesor?

B. *Ejemplo:* La Sra. Rossi __*es*__ de Italia, pero __*está*__ en Niza.

La Sra. Rossi no __está__ en Roma y el Sr. Rossi no __está__ en Roma tampoco. ¿Dónde __está__ el Sr. Rossi? __Está__ en Madrid. Madrid no __es__ una ciudad de Italia. __Es__ una ciudad de España. El Sr. Rossi __es__ alumno de español. __Está__ en Madrid pero no __está__ en la clase. __Está__ en la Plaza Mayor.

La Srta. Nichols es alumna de español. Está sentada en la clase. La Sra. Mendoza, la profesora, también está en la clase, pero no está sentada. Está parada.

¿Y dónde está el libro? ¿Está en el suelo? No, y no está debajo de la mesa tampoco. Está encima de la mesa. ¿Está la papelera encima de la mesa también? No, no está allí. La papelera está en el suelo.

¿Y dónde está Ud.? ¿Está Ud. en casa o en la escuela? ¿Es Ud. el profesor o el alumno? ¿Está Ud. sentado o parado?

EJERCICIO 14

1. ¿Está sentada o parada la Srta. Nichols?

2. ¿Está la Sra. Mendoza en la oficina?

3. ¿Dónde está la Sra. Mendoza?

4. ¿Está sentada o parada?

5. ¿Está el libro debajo de la mesa?

6. ¿Dónde está?

7. ¿Está la papelera encima de la mesa?

8. Entonces, ¿dónde está?

El bolígrafo está **encima del** libro.
La papelera está **debajo de la** mesa.
La caja está **en el** suelo.
El mapa está **en la** pared.

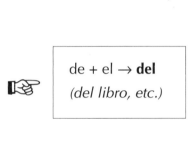

de + el → **del**

(del libro, etc.)

EJERCICIO 15

Ejemplo: ¿Dónde está la caja?
              La caja está debajo de la mesa.

1.   ¿Dónde está la lámpara?   *La lámpara*

2.   ¿Está el libro encima o debajo de la mesa?

3.   ¿Dónde está la taza?   *LA TAZA ESTÁ ENCIMA DE LA MESA*

4.   ¿Está el gato encima de la silla?   *No. EL GATO NO ESTÁ ENCIMA DE LA SILLIA*
     EL GATO ESTÁ DEBAJO DE LA SILLA.

5.   Entonces, ¿dónde está?

6.   ¿Dónde está el bolígrafo?   *EL BOLÍGRAFO ESTÁ ENCIMA DEL LIBRO*

7.   ¿Está el mapa en la pared?

8.   ¿Está la papelera en el suelo o encima de la silla?

	HERE	**este** libro	**estos** libros
THIS	**aquí**	**esta** mesa	**estas** mesas
	THERE	**ese** libro	**esos** libros
THAT	**ahí**	**esa** mesa	**esas** mesas

EJERCICIO 16

Ejemplos: ¿Dónde está el cenicero?
  Está <u>ahí</u>, encima de <u>esa</u> mesa.
  IT IS THERE ON THAT TABLE.

1. ¿Dónde está el bolígrafo?
  ESTÁ AQUÍ ENCIMA DE ESTA MESA

2. ¿Dónde está el periódico?

3. ¿Dónde está la lámpara?

4. ¿Dónde están los libros?

¿Dónde están las flores?
  Están <u>aquí</u>, encima de <u>esta</u> mesa.
  THEY ARE HERE ON THIS TABLE

5. ¿Dónde está la taza?

6. ¿Dónde están las gafas?

7. ¿Dónde está la caja?

8. ¿Dónde está el cigarrillo?

LOS COCHES SON AZULES

Es un coche.
El coche es negro.
El coche está en la calle.

Son unos coch<u>es</u>.
Los coches son azul<u>es</u>.
Los coches est<u>án</u> en la plaza.

el periódic**o**	los periódico**s**
la taz**a**	las tazas
la call**e**	las calles
rojo	rojos
blanca	blancas
grande	grande**s**

la flo**r**	las flor**es**
la ciuda**d**	las ciudad**es**
el avió**n**	los avion**es**
marrón	marron**es**
azul	azul**es**
gris	gris**es**

 el lápi**z** ⇨ los lápi**ces**

EJERCICIO 17

Ejemplos: La profesora no es colombiana.
Las profesoras no son colombianas.

¿Qué hotel está en la calle Azteca?
¿Qué hoteles están en la calle Azteca?

1. La escuela está en México.
   Las escuelas están en Mexico

2. Este bolígrafo no es gris.
   Estos bolígrafos no es gris

3. Ese cuadro es grande.
   Esos cuardos es grandes

4. ¿De qué color es esta alfombra?
   ¿De que colores son estas alfombras?
   ↳ THOSE

5. El lápiz azul no está aquí.

6. Este cenicero está encima de la mesa.

7. ¿Dónde está la taza?
   ¿Dónde están las tazas?

8. El museo es muy grande.
   Los museos son muy grandes

9. Ese restaurante no es chileno. Es venezolano.
   Esos resturantes no son chileno. Son venezolano

10. ¿En qué calle está el restaurante?

11. Esta lámpara es pequeña.

12. ¿De qué nacionalidad es esa señorita?

13. El señor no es de Lima. Es de Caracas.

14. Una flor es roja y la otra es blanca.

¿Qué es esto?
– Es un autobús.   una bicicleta
     avión   caja
     bolígrafo   calle
     coche   escuela
     lápiz   moto
     libro   oficina
     papel   pared
     periódico   puerta
     teléfono   revista
     tren   ventana

¿Es rojo el lápiz?
– No, no es rojo.
  Es blanco.

¿Es azul o verde el libro?
– Es azul.

¿De qué color son las revistas?
– Las revistas son negras y amarillas.

¿Es grande o pequeño el coche?
– Es grande.

¿Cómo son las bicicletas?
– Son pequeñas.

¿Qué perro es grande?
– El perro negro es grande.
  Este / ese perro es grande.

¿Qué caja es azul?
– La caja pequeña es azul.
  Esta / esa caja es azul.

¿Cuál es roja?
– Ésta / Ésa es roja.

¿Dónde está …?
  … encima de la mesa.
  … debajo de la silla.
  … aquí, en el suelo.
  … allí, en la pared.

Colores:
amarillo, rojo, blanco, negro,
azul, verde, marrón, gris

Expresiones:
Deme un lápiz, por favor.
Aquí tiene.
Muchas gracias.
De nada.
Perdone, ¿dónde está …?
No sé.

CAPÍTULO

3

¡UN CAFÉ, POR FAVOR!

Camarero:	¡Buenas tardes, señores!
David Ibáñez:	Buenas tardes. Un café, por favor.
Camarero:	Sí, señor. ¿Negro o con leche?
David Ibáñez:	Con leche, por favor.
Camarero:	¿Y Ud., señorita?
Cristina Salinas:	Una taza de té, por favor.
Camarero:	¿Con leche o con limón?
Cristina Salinas:	Con limón, por favor.
Camarero:	Muy bien.

Camarero:	Aquí tienen. Un café con leche y un té con limón.
David Ibáñez:	¿Cuánto es?
Camarero:	Son 130 bolívares, por favor.
David Ibáñez:	Aquí tiene.
Camarero:	Gracias.
David Ibáñez:	De nada.

¿Qué es esto? ¿Es una botella de agua? No. Es una botella de vino tinto, de Rioja. El Rioja es un vino español.

– *¡Una botella de Rioja, por favor!*

– *¡Cómo no, señor!*

Y esto, ¿qué es? ¿Es un vaso? Sí, es un vaso. Es un vaso de cerveza mexicana. La cerveza mexicana es muy buena.

– *¿Quiere un vaso de cerveza?*

– *Sí, gracias.*

Esto es una taza de café colombiano. ¡El café colombiano es excelente!

– *Un café, por favor.*

– *¿Quiere café con leche y azúcar?*

– *Sin azúcar, gracias.*

– *Aquí tiene.*

EJERCICIO 18

Ejemplo: ¿Quiere una taza __de__ café?

1. Un café _____ leche, por favor.

2. Corona es _____ cerveza mexicana.

3. _____ Rioja no es un vino francés.

4. ¿Quiere vino tinto o vino _____?

5. Este café _____ muy bueno.

6. Señor, ¿quiere _____ vaso de agua?

una
un
el
de
con
es
blanco

Este reloj cuesta 50.000 ptas.
Es caro.

Este encendedor cuesta 300 ptas.
Es barato.

El reloj es **más caro que** el encendedor.
El encendedor es **más barato que** el reloj.

EJERCICIO 19

Ejemplo: vaso de cerveza: 150 ptas. / botella de vino: 600 ptas. *(barato)*
El vaso de cerveza es <u>más barato que</u> la botella de vino.

1. bicicleta: 80.000 ptas. / coche: 1.500.000 ptas. *(barato)*

2. papelera: 1.500 ptas. / cenicero: 500 ptas. *(caro)*

3. billetera: 2.500 ptas. / periódico: 120 ptas. *(caro)*

4. vaso: 125 ptas. / taza: 400 ptas. *(barato)*

5. silla: 7.000 ptas. / mesa: 14.000 ptas. *(barato)*

6. vaso de vino: 250 ptas. / taza de café: *125 ptas. (caro)*

 ptas. = pesetas (dinero español)

– Sra. Reyes, ¿dónde está **mi** bolígrafo? No está con **mis** libros.

– Y allí, encima de **su** periódico, ¿no es ése **su** bolígrafo?

– Ah, sí, gracias.

– De nada.

yo	mi	bolígrafo llave	mis	bolígrafos llaves
Ud., él, ella ellos, ellas	su		sus	

EJERCICIO 20

Ejemplo: la Sra. Pérez / coche   ***Es su coche.***
          yo / revistas   ***Son mis revistas.***

1. Federico / billetera   _____

2. yo / fósforos   _____

3. Ud. / gafas   _____

4. el Sr. Paz / copa   _____

5. yo / reloj   _____

6. Elena y Ana / dinero   _____

¿DE QUIÉN ES?

EJERCICIO 21

A. *Ejemplo:* Yo estoy sentada aquí. Ésta es __mi__ silla.

1. ¿Es Ud. alumno de español? ¿Quién es _____ profesor?

2. Éste es mi libro y éstas son _____ cintas.

3. Mis gafas son caras, pero _____ reloj es barato.

4. ¿Son éstas las revistas de Rafael? No, no son _____ revistas.

5. Mi lápiz y _____ bolígrafos no están en este cajón.

6. ¿Dónde está Margarita? _____ cartera está aquí.

B. *Ejemplo:* El coche __de__ Antonio es rojo.

1. Esos cigarrillos son de Ana. Son _____ .

2. La billetera _____ Sr. Andrade es negra.

3. ¿Es de Luis este coche?
   – Sí, es _____ .

4. Esos son los lápices _____ alumnas.

5. La alumna _____ Sra. Peña es italiana.

6. ¿Son éstas las oficinas de las secretarias?
   – No, no son de las secretarias. Son las oficinas _____ directores.

de ella
de él
del
de
de la
de las
de los

Sr. Córdoba:	Perdón, ¿tiene revistas chilenas?
Empleado:	No, lo siento, señor, no tengo revistas chilenas. Pero tengo periódicos chilenos.
Sr. Córdoba:	¿Qué periódicos chilenos tiene Ud.?
Empleado:	*El Mercurio* y *La Nación.*
Sr. Córdoba:	Bueno, deme *El Mercurio*, por favor. ¿Cuánto es?
Empleado:	Son 150 bolívares. Aquí tiene, señor.
Sr. Córdoba:	Gracias.

yo	**tengo**
Ud. *él / ella*	**tiene**
nosotros	**tenemos**
ellos / ellas	**tienen**

EJERCICIO 22

Ejemplo: El profesor __*tiene*__ un coche negro.

1. Yo no _____ un reloj suizo.

2. ¿_____ las alumnas muchas amigas?

3. ¿Qué _____ Miguel en la mano derecha?

4. ¿_____ yo un cigarrillo en la mano?

5. Juan y yo no _____ 50 pesos; sólo _____ 30 pesos.

6. ¿Qué tipo de coche _____ Ud.?

Abre su bolso.

Toma una llave de su bolso.

Cierra su bolso.

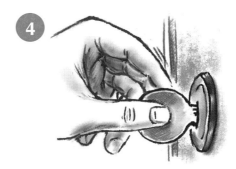

Pone la llave en la puerta.

yo	Ud. él / ella	Por favor ...
cierr**o**	cierr**a**	¡(no) cierr**e** ...!
tom**o**	tom**a**	¡(no) tom**e** ...!
pong**o**	pon**e**	¡(no) pong**a** ...!
hag**o**	hac**e**	¡(no) hag**a** ...!
abr**o**	abr**e**	¡(no) abr**a** ...!
teng**o**	tien**e**	¡(no) teng**a** ...!

EJERCICIO 23

Ejemplo: La Sra. Fontán no **habla** francés.

Yo _____**no hablo francés**_____.

Ud. _____**no habla francés**_____.

Por favor, ¡ **no hable francés** !

1. Yo **abro** la puerta.

   Ud. _____.

   Pedro _____.

   Por favor, ¡_____!

2. La Sra. Rollán no **cierra** la cartera.

   Yo _____.

   Por favor, ¡ _____!

   Él _____.

3. Por favor, ¡**ponga** la taza aquí!

   Luisa _____.

   Ud. _____.

   Yo _____.

4. Ud. **toma** la llave de su bolso.

   El alumno _____.

   Yo _____.

   Por favor, ¡ _____!

5. El profesor **cierra** el libro.

   María _____.

   Yo _____.

   Por favor, ¡ _____!

6. Ud. **pone** el dinero en su bolsillo.

   Por favor, ¡ _____!

   Yo _____.

   Miguel _____.

7. Yo **tomo** mis libros de la mesa.

   Ana _____.

   Ud. _____.

   Por favor, ¡ _____!

8. Por favor, ¡no **abra** la puerta!

   Ud. _____.

   José _____.

   Yo _____.

EJERCICIO 24

Ejemplo: Sebastián toma __**más**__ café que Juan.

1. ¿ _____ este libro?

2. ¿ _____ hacemos aquí?

3. Ella _____ habla un idioma.

4. ¿ _____ es este bolígrafo?

5. ¿ _____ es Ud.?

6. _____ , no ponga mi bolso ahí.

7. Marta toma el bolígrafo _____ .

8. _____ , pero no tengo un encendedor.

9. ¿ _____ coche tiene ella?

10. ¿Qué tiene en su _____ ?

por favor
de quién
lo siento
más
sólo
qué tipo de
mano derecha
del suelo
cuánto cuesta
qué
de dónde

| | Ud. | | | |
yo	él / ella	nosotros	ellos / ellas	Por favor ...
cierro	cierra	cerramos	cierran	¡cierre ...!
hablo	habla	hablamos	hablan	¡hable ...!
tomo	toma	tomamos	toman	¡tome ...!
entro	entra	entramos	entran	¡entre ...!
hago	hace	hacemos	hacen	¡haga ...!
pongo	pone	ponemos	ponen	¡ponga ...!
tengo	tiene	tenemos	tienen	¡tenga ...!
abro	abre	abrimos	abren	¡abra ...!
soy	es	somos	son	¡sea ...!
estoy	está	estamos	están	¡esté ...!

TO CLOSE

TO OPEN

I AM

I AM IN

EJERCICIO 25

Ejemplo: La secretaria __*cierra*__ las ventanas.

a. cierra   b. cerramos   c. cierran

1. Los vinos buenos _____ caros.

    a. somos   b. son   c. es

2. ¿Dónde _____ las llaves del coche?

    a. está   b. estoy   c. están

3. Nosotros _____ azúcar en el café.

    a. ponemos   b. pongo   c. ponen

4. ¿Quiénes _____ en la clase?

    a. entro   b. entran   c. entra

5. Yo _____ menos dinero que Ud.

    a. tiene   b. tengo   c. tenemos

6. ¿Qué _____ Elisa?

    a. hace   b. hago   c. hacen

¿Qué es esto?
– Es una botella de cerveza.
      copa de vino
      taza de café

¿Cómo es el café?
– El café con leche es bueno.
  El café con limón es malo.

¿Cómo toma su café el Sr. Ibáñez?
– Toma su café negro.
      con azúcar
      sin leche

¿Cuánto cuesta este reloj?
– Cuesta 100 pesos. Es caro.

¿Y esta billetera?
– Cuesta sólo 15 pesos. Es barata.
  El reloj cuesta más que la billetera.

¿Es la bolsa de la Sra. Reyes?
– Sí, es su bolsa.

Sra. Reyes, ¿es ésta su billetera también?
– Sí, es mi billetera.

¿De quién son los cigarillos?
– Son los cigarillos del Sr. Córdoba.

¿Qué hace Ud.?
– Tomo el autobús.
  Abro la puerta de mi oficina.
  Entro en la oficina.
  Cierro la puerta.
  Pongo mis llaves en la mesa.
  Hablo por teléfono.

Por favor, ...
¡Entre en la clase!
¡No entre en la oficina del director!
¡Abra la puerta de la clase!
¡No abra la ventana!
¡Ponga su lápiz en la mesa!
¡No ponga mi dinero en su bolsillo!

Expresiones:
¿Quiere Ud. un café?
Sí, ¡cómo no! ¡Gracias!
No hay de que.
Lo siento.
No importa.
¡Qué bien!
¡Qué interesante!

CAPÍTULO

4

— ¿Ve Ud. el coche?

— Sí, lo veo.

— ¿Hay alguien en el coche?

— No, no hay nadie. Pero hay algo detrás del coche.

— ¿Detrás del coche? ¿Qué es?

— Veo una caja, una caja marrón.

— ¿Ve algo en la caja?

— Sí, veo dinero. Mucho dinero.

— ¡Qué interesante!

Hay   To HAS (BE)

¿HAY ALGO EN LA MESA?

¿Hay **algo** en la mesa?	¿Hay **alguien** sentado a la mesa?
– *Sí, hay **algo** en la mesa.*	– *Sí, hay **alguien** sentado a la mesa.*
¿Qué hay debajo de la silla?	¿Hay **alguien** sentado en la mesa?
– ***No** hay **nada** debajo de la silla.*	– *No, **no** hay **nadie** sentado en la mesa.*

EJERCICIO 26

1. ¿Hay algo en la silla?

   Sí, hay algo en la silla

2. ¿Ve Ud. algo en la pared?

   Sí yo vengo algo en la pared ✗   *SI VEO ALGO EN LA PARED*

3. ¿Qué hay en la caja?

   Está es no algo en la caja.

4. ¿Hay alguien sentado en la silla?

5. ¿Hay alguien sentado en el suelo?

   No, no hay nadie sentado en la mesa

6. ¿Hay alguien delante de la mesa?

   Sí están dos personas delante de la mesa. ✗
   ↳ *IN FRONT OF*

Felipe está delante del *hombre* y de la *mujer*.

Él está delante de **ellos**.

La ventana está delante de **mí**.

Hay un escritorio entre **nosotros**.

La casa está detrás de **ellos**. *THE HOUSE IS BEHIND THEM*

EJERCICIO 27

Ejemplo: El teléfono no está delante de **Isabel**.
Está detrás de ___*ella*___.

1. Isabel está sentada con **Juan**. Está al lado de _____ .

2. **Miguel** está en Uruguay y **Diana** está en Argentina. ¡Hay un río entre _____ !

3. Tomo el autobús con **Marta** y **Mercedes**. No tomo el autobús sin _____ .

4. No hay nadie entre **el Sr. Vargas** y **yo**. No hay nadie entre _____ .

5. **Sr. Mataró**, ¿hay alguien delante de _____ ?

Yo veo	**el** periódico. **los** libros. **la** revista. **las** ventanas.	⟹	**Lo** **Los** **La** **Las**	veo.

EJERCICIO 28

Ejemplo: ¿Abre Susana **la puerta**?
Sí, ___la abre___ .
No, ___no la abre___ .

1. ¿Abre **el paquete** la secretaria?

    Sí, _____.

    No, _____.

2. ¿Pone Ud. **las flores** en la mesa?

    Sí, _____.

    No, _____.

3. ¿Cierro yo **la puerta**?

    Sí, _____.

    No, _____.

4. ¿Ponen Ana y su amiga **los vasos** en la mesa?

    Sí, _____.

    No, _____.

5. ¿Ve Ud. **esos coches**?

    Sí, _____.

    No, _____.

6. ¿Pongo yo **las gafas** en el bolsillo?

    Sí, _____.

    No, _____.

7. ¿Cierra **la ventana** el Sr. Díaz?

    Sí, _____.

    No, _____.

8. ¿Hablan **inglés** Juan y Luisa?

    Sí, _____.

    No, _____.

hacer —to do

① roberto y carlos son hijos
② " " " son los hijos
de Diana y Javier

Ésta es la familia Córdoba. Los Córdoba viven en Santiago de Chile. Tienen una casa en la calle Mayor. La mujer se llama Diana y su esposo se llama Javier. Sus hijos se llaman Carlos, Susana y Margarita. ¿Y quién está al lado de Carlos? Es su amigo Roberto.

Javier Córdoba está sentado delante de la ventana. Diana está sentada al lado de él y abre una botella de vino.

Y los hijos ... ¿qué hacen ellos? Carlos y Roberto están sentados en el suelo. Toman un avión pequeño de una caja. Margarita también está sentada en el suelo y tiene una revista. ¿Y Susana? Susana no está sentada, está parada. Habla por teléfono.

El perro de la familia Córdoba se llama Sultán. ¿Y dónde está Sultán? Está en el suelo, debajo de la mesa.

EJERCICIO 29

Ejemplo: El Sr. Córdoba es el __***padre***__ de Carlos, Susana y Margarita.

1. La _madre_ del Sr. Córdoba se llama Diana.

2. Diana es la _madre_ de Carlos, Susana y Margarita.

3. Javier es el _esposo_ de Diana.

4. Roberto es el _amigo_ de Carlos.

5. Los Córdoba son una _familia_ de cinco personas.

6. La familia Córdoba _vieven_ en Chile.

7. Ellos _halan_ español en casa.

8. Javier y Diana son los _pardres_ de Carlos, Susana y Margarita.

9. Carlos es el _hijo_ de Javier y Diana.

10. Los _hijos_ viven con sus padres.

madre
hijo
esposo
hijos
familia
padre
esposa
amigo
padres
vive
hablan

Hola, soy Alicia Sierra Remy. Soy directora del Hotel Caribe en San Juan, Puerto Rico. Ésta es mi tarjeta. El número de teléfono de mi oficina es el 727-3905 y la dirección es Avenida de las Américas 23.

Mi esposo se llama Jacques. Jacques es de Bélgica y trabaja para una empresa francesa. Tenemos una hija, Adela. Ella habla español y francés. Vivimos en un apartamento al lado de mi oficina.

EJERCICIO 30

1. ¿En qué ciudad viven los Remy?

2. ¿Dónde trabaja la Sra. Remy?

3. ¿Cuál es el número de teléfono de su oficina?

4. ¿En qué calle trabaja?

5. ¿Cómo se llama su esposo?

6. ¿De qué país es Jacques?

7. ¿Tienen hijos?

8. ¿Cuántos idiomas habla Adela?

¡AL CONTRARIO!

EJERCICIO 31

Ejemplo: El teléfono está **encima** de la mesa y el perro está ___*debajo*___.

1. No trabajo para una empresa **pequeña**, trabajo para una empresa _____.

2. La secretaria está **delante** del escritorio y el director está _____.

3. Veo **muchos** bolígrafos, pero _____ flores.

4. ¿Están los alumnos **parados**? No, están _____.

5. Un coche es **caro** y un cigarrillo es _____.

6. Tengo un lápiz en la mano **derecha**, pero no tengo nada en la mano _____.

EXPRESIONES

EJERCICIO 32

Ejemplo: ¡Encantado! **– ¡Igualmente!**

1. ¿Cómo está, Sr. Martínez?

2. Por favor, ¡siéntese!

3. ¡Muchas gracias!

4. ¡Hasta luego!

5. Lo siento, no tenemos vino.

6. ¿De quién es este libro?

7. ¿Tiene Ud. un lápiz?

8. ¿Ve algo?

¡Adiós!
¡Igualmente!
No, no veo nada.
No sé.
De nada.
Muy bien, ¿y Ud.?
Muchas gracias.
No importa.
No, lo siento.

Esto es …
– un apartamento
  un escritorio

– una carta
  una casa
  una estampilla
  una postal
  una tarjeta

¿Dónde está Juliana?
– Está delante de Ud.
        detrás de mí
        al lado de él
        a la izquierda de ellas
        a la derecha de nosotros
        entre Ud. y ella

¿Tiene Ud. algo en el bolsillo?
– Sí, tengo algo en el bolsillo.
  No, no tengo nada en el bolsillo.

¿Hay alguien en la casa?
– Sí, hay alguien.
  No, no hay nadie.

¿Qué hay en la mesa?
– Hay muchos bolígrafos en la mesa.

¿Ve Ud. el escritorio?
– Sí, lo veo.

¿Ve Ud. las estampillas?
– No, no las veo.

¿Dónde trabaja la Sra. Reyes?
– Trabaja en la empresa Montel.

¿Quién es Tomás Camejo?
– Es un colega de la Sra. Reyes.

¿Quién es?
– el hombre
  muchacho
  niño
  amigo

– la mujer
  muchacha
  niña
  amiga

La familia:
– el esposo
  padre
  hijo
  hermano

– la esposa
  madre
  hija
  hermana

¿Cómo se llama su amigo?
– Se llama Carlos.

¿Cuál es su número de teléfono?
– Es el 397-7729.

¿Cuál es su dirección?
– Vive en la calle Azteca, 314.

Expresiones:
¿Algo más?
No gracias, nada más.
¿Sabe Ud. la dirección del Sr. Ibáñez?

CAPÍTULO

5

A las 8.20 la Sra. Reyes **viene** de su casa y **abre** la puerta de su oficina.

A la 1.15 ella **sale** de la oficina y **va** al restaurante con su amiga.

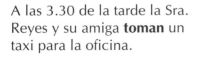

A las 3.30 de la tarde la Sra. Reyes y su amiga **toman** un taxi para la oficina.

1.00	**Es** la una.	
2.00		dos.
2.15		dos y quince.
		dos y cuarto.
2.30	Son las	dos y treinta.
		dos y media.
2.45		tres menos cuarto.
12.00		doce del día.
24.00		doce de la noche.

EJERCICIO 33

Ejemplo: _**Son las cuatro.**_

1. _____

5. _____

2. _____

6. _____

3. SON LAS DOS MINOS VENTE. _____

7. _____

8.  _____

4. _____

DE LA MEDRUGARDA

DEL MEDIO DIA MIDDAY

DEL MEDIO NOCHE MIDNIGHT

SON LAS 3.20 EN LONDRES

DO YOU HAVE THE TIME? TIENE HORA

	Nueva York	Caracas	Londres	Madrid
☀	10.20	11.20	3.20	4.20
☾	9.40	10.40	2.40	3.40

EJERCICIO 34

Ejemplo: A las 10.20 de la mañana en Nueva York, ¿qué hora es en Londres?
Son las 3.20 <u>de la tarde</u>.

1. En Londres son las 3.20 de la tarde. ¿Qué hora es en Madrid?

2. A las 9.40 de la noche en Nueva York, ¿qué hora es en Londres?

3. ¿Y en Caracas?

4. A las 10.40 de la noche en Caracas, ¿qué hora es en Madrid?

5. ¿Y en Nueva York?

6. Son las 10.20 de la mañana en Nueva York. Y en Caracas, ¿son las 11.20 de la noche o de la mañana?

7. ¿Y en Londres?

8. En Londres son las 3.20 de la tarde. Y en Nueva York, ¿qué hora es?

☞	11.00	las once **de la mañana**	13.00	la una **de la tarde**
	23.00	las once **de la noche**	1.00	la una **de la mañana**

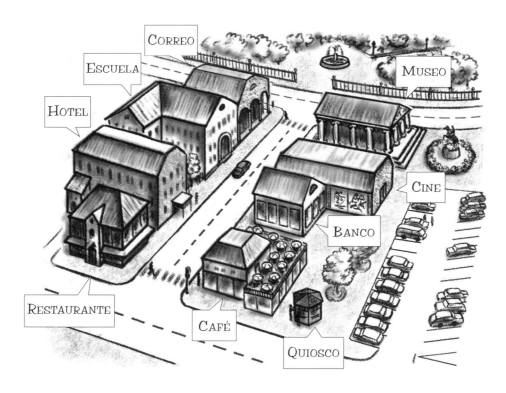

ESQUINA — CORNER

EJERCICIO 35

Ejemplo: El restaurante está **_a la izquierda_** del hotel.

1. El museo está _____ del parque.

2. La escuela está _____ el hotel y el correo.

3. El cine está _____ de la escuela.

4. El parque está _____ del quiosco.

5. El correo está _____ de la escuela.

6. El estacionamiento está _____ del café, del banco y del cine.

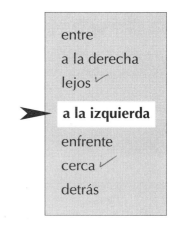

entre

a la derecha

lejos ✓

a la izquierda

enfrente

cerca ✓

detrás

7.30 - 23.30

8.30 - 14.00

CINE

15.45 - 1.00

↳ QUINCE HORAS Y CUARENTA CINCO MINUTOS

Berlitz®

9.00 - 17.00

EJERCICIO 36

1. ¿Está abierta la escuela de 7.30 a 23.30?

2. ¿Qué está abierto a esas horas?

3. ¿A qué hora cierra el cine?

4. ¿Cierra la escuela a las 17.30?

5. ¿Cuándo cierra?

6. ¿Cuántas horas está abierto el restaurante?

7. ¿Cuándo está cerrado el cine, por la mañana o por la noche?

8. ¿Cierra el banco a las dos de la mañana o de la tarde?

9. ¿A qué hora abre el restaurante?

10. ¿Qué está abierto a medianoche?

Sra. Herrero: ¡Sr. Salgado! ¡Sr. Salgado!

Sr. Salgado: ¡Hola Sra. Herrero! ¿Adónde va Ud.?

Sra. Herrero: Voy a Puebla. ¿Y Ud.?

Sr. Salgado: Yo también voy a Puebla.

Sra. Herrero: ¡Ah, qué bien! ¿A qué hora sale el autobús?

Sr. Salgado: A las nueve. ¡Ah! Aquí viene.

Llega un autobús.

Sra. Herrero: Perdón, ¿va este autobús a Puebla?

Chófer: ¿Puebla? Lo siento, señora, pero este autobús no va a Puebla, viene de allí. ¡Mire! Ése es su autobús.

Sr. Salgado: ¡Ah, perfecto! ¡Muchas gracias!

EJERCICIO 37

1. ¿Están el Sr. Salgado y la Sra. Herrero en la estación de tren?

2. ¿Dónde están ellos?

3. ¿Adónde van ellos?

4. ¿Van a pie?

5. ¿Llega un autobús a la parada?

6. ¿Va este autobús a Puebla?

7. ¿De dónde viene?

8. ¿A qué hora sale el autobús para Puebla?

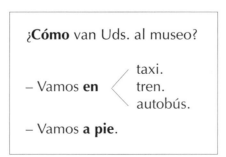

¿**Cómo** van Uds. al museo?

– Vamos **en** ⟨ taxi. / tren. / autobús.

– Vamos **a pie**.

Salidas

Para	Hora
Los Ángeles	8.20
Madrid	12.10
París	16.35
Madrid	20.45

Llegadas

De	Hora
Roma	9.30
Lima	14.50
Sevilla	21.30
Buenos Aires	23.45

EJERCICIO 38

1. ¿A qué hora sale el avión para París?

2. ¿A qué ciudad va un avión a las 8.20 de la mañana?

3. ¿Viene de Acapulco el avión de las 9.30?

4. ¿De dónde viene?

5. ¿A qué hora llega el avión de Sevilla?

6. ¿De dónde viene el avión de las 14.50?

7. ¿Cuántos aviones hay para Madrid?

8. ¿Cuándo sale el avión para Los Ángeles?

9. ¿De qué ciudad viene el avión de las 23.45?

10. ¿Para dónde va el avión de las 20.45?

ANTES — BEFORE
DESPUES — AFTER

MÁS VERBOS

yo	Ud. él / ella	nosotros	Uds. ellos / ellas	Por favor, ...
llego	llega	llegamos	llegan	¡llegue ...!
salgo	sale	salimos	salen	¡salga ...!
vengo	viene	venimos	vienen	¡venga ...!
voy	va	vamos	van	¡vaya ...!
vuelvo	vuelve	volvemos	vuelven	¡vuelva ...!

TO COME (vengo row)
TO COME BACK (vuelvo row)

EJERCICIO 39

Ejemplo: Las secretarias van a la oficina a las 9.00.

Ud. __*va*__ a la oficina a las 9.00.

Yo __*voy*__ a la oficina a las 9.00.

Carlos y yo __*vamos*__ a la oficina a las 9.00.

1. Yo llego a casa a las 6.00.

   Ud. _____ a casa a las 6.00.

   Los señores _____ a casa a las 6.00.

   Por favor, ¡_____ a casa a las 6.00!

2. ¿Llega su hermana Eva esta tarde?

   ¿ _____ sus amigos esta tarde?

   ¿ _____ nosotros esta tarde?

   ¿_____ Ud. esta tarde?

3. El tren no sale a las 5.

   Yo no _____ a las 5.00.

   Los muchachos no ___ a las 5.00.

   Sergio y yo no _____ a las 5.00.

4. Los alumnos vienen a mi casa.

   Por favor, ¡ _____ a mi casa!

   Ana _____ a mi casa.

   Ud. _____ a mi casa.

5. Por favor, ¡vuelva aquí!

   La profesora _____ aquí.

   Nosotros _____ aquí.

   Yo _____ aquí.

6. Nico y yo no vamos a Lima el jueves.

   Yo no _____ a Lima el jueves.

   Ud. no _____ a Lima el jueves.

   Julia y Carlos no _____ a Lima el jueves.

Hoy es lunes. Son las 6.30 de la tarde. La Sra. Ortega está en el aeropuerto de Buenos Aires y va a la puerta de embarque número 12. A las 7.25 va a salir su vuelo para Caracas. La Sra. Ortega va a llegar a Caracas a la 1.45 de la mañana. Después va a tomar un taxi para ir a su hotel, el Maracaibo.

Mañana, martes, a las 9.30 de la mañana, va a la oficina del Sr. Montilla. El Sr. Montilla es el director del Banco Sudamericano en Caracas. Es un banco muy grande. Tiene más de 40 oficinas en Venezuela. Va a estar en el aeropuerto a las 3.00 de la tarde para volver a Buenos Aires.

Generalmente, la Sra. Ortega está en la oficina hasta las 5.00 de la tarde, pero este jueves va a salir temprano. Simón, el hijo de la Sra. Ortega, y su esposa Marta van a llegar de Panamá por la tarde para estar dos semanas con ella y su esposo.

El viernes va a tomar una clase de francés en la escuela Berlitz a las 5.30 de la tarde. Va a hablar francés con su profesor y con los otros alumnos de la clase.

¿Y los sábados y los domingos? Los sábados y los domingos no trabaja. Este sábado no va a salir de casa por la mañana, pero al mediodía va a ir al restaurante con su esposo. El domingo por la tarde van al parque y, por la noche, al cine para ver una película española.

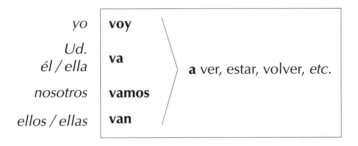

EJERCICIO 40

1. ¿Dónde va a estar la Sra. Ortega el lunes a las ocho de la noche?

2. ¿A qué hora va a llegar a Caracas?

3. ¿Cuál es el nombre de su hotel?

4. ¿Adónde va a ir la Sra. Ortega el martes?

5. ¿Dónde trabaja el Sr. Montilla?

6. ¿Cuántas oficinas tiene el Banco Sudamericano en Venezuela?

7. ¿A qué hora va a estar la Sra. Ortega en el aeropuerto para volver a Buenos Aires?

8. ¿Quiénes van a llegar de Panamá este jueves por la tarde?

Juan abre la puerta y **sale** de su casa.

Abre la puerta **para salir** de su casa.

para	cerrar	hacer	abrir
	estar	poner	ir
	hablar	ser	salir
	llegar	tener	venir
	tomar	ver	vivir
	trabajar	volver	*etc.*

EJERCICIO 41

Ejemplo: Ud. toma la llave. Cierra la puerta.
         Ud. toma la llave <u>para cerrar</u> la puerta.

1. Juan va al cine. Ve una película.

2. Los Sres. Morán van a la escuela. Hablan con el director.

3. Tomamos el tren en el andén 5. Volvemos a Bilbao.

4. Voy a Roma. Veo el Coliseo.

5. Horacio llega a la oficina a las ocho. Trabaja todo el día.

6. Ud. vuelve a su casa. Está con su familia.

7. Carmen toma sus llaves. Abre el cajón de su escritorio.

8. Uds. toman el avión. Van a Bogotá.

¿Dónde está el banco?
– El banco está cerca de la escuela.
 lejos de la farmacia
 enfrente del hotel

¿A qué hora abre el banco?
– Abre a las nueve de la mañana.
 A las diez, está abierto.

¿A qué hora cierra?
– Cierra a las cinco de la tarde.
 A las seis, está cerrado.

¿Cuándo está abierto el banco?
– Está abierto de las nueve a las cinco.
 Está abierto todo el día.

¿Qué día es hoy / fue ayer?
– Hoy es el …
 Ayer fue el …

Los días de la semana:
lunes, martes, miércoles, jueves,
viernes, sábado, domingo

¿Qué hora es?
– Es la una.
 Son las dos y cuarto.
 las tres y media
 las cinco menos cuarto

¿Qué hace Ud.?
– Yo voy a la oficina a las ocho.
 llego a las ocho y media
 salgo de la oficina a las cinco
 vuelvo a casa a las seis

¿Cómo va Ud. a la oficina?
– Voy a la oficina en autobús.
 metro
 taxi
 a pie

¿Con quién va Ud.?
– No voy con nadie. Voy solo.

¿Para qué viene Ud. a la escuela?
– Vengo a la escuela para tomar una
 lección de español.

¿Qué va a hacer Ud. mañana?
– Mañana voy a venir a la escuela.

¿Qué va a hacer después de su lección?
– Voy a tomar un café.

Expresiones:
¿Tiene Ud. la hora?
Claro, son las dos.
¡Aló! / ¡Bueno!
¿Está bien a las dos?
¡Claro que sí!
Creo que sí / no.

CAPÍTULO

6

ALMUER

Lola Reyes, directora de la empresa Montel, vive en Caracas, la capital de Venezuela. Tiene un apartamento en el número 287 de la calle Principal.

Su esposo, Juan Antonio, trabaja en un banco. Los Reyes tienen dos hijos: un niño y una niña. Los niños se llaman Pedro y Mónica.

Lola habla varios idiomas: francés, italiano y, naturalmente, español.

A las 6.00 de la mañana Lola toma un café y sale de su casa. Después va a la parada de autobús para ir a la oficina.

Las oficinas de la empresa Montel están en la Avenida de la Paz. Lola trabaja con el Sr. García y el Sr. Camejo. Su horario de trabajo es de 8 horas: ella llega a las 9.00 de la mañana y sale a las 5.00 de la tarde. Al mediodía, Lola va con sus colegas a una cafetería cerca de la oficina.

Por la tarde Lola toma el autobús a las 5.10 para volver a casa. A las 6.00, sus hijos vuelven de la escuela en autobús y su esposo llega diez minutos después.

EJERCICIO 42

1. ¿Dónde vive Lola?

2. ¿Vive en una casa o un apartamento?

3. ¿Con quién vive?

4. ¿Quién es Pedro?

5. ¿A qué hora toma Lola café?

6. ¿Qué hace después?

7. ¿Dónde trabaja Lola?

8. ¿Cómo va al trabajo?

9. ¿Adónde va al mediodía?

10. ¿A qué hora vuelve a casa?

Es <u>mi</u> coche. Es **el mío**.
Son <u>sus</u> cartas. Son **las suyas**.

mi coche	el mío	mis coches	los míos
mi llave	la mía	mis llaves	las mías
su plano	el suyo	sus planos	los suyos
su carta	la suya	sus cartas	las suyas
nuestro hijo	el nuestro	nuestros hijos	los nuestros
nuestra hija	la nuestra	nuestras hijas	las nuestras

EJERCICIO 43

Ejemplos: Sr. López, ¿cuál es __*su*__ dirección?

Es mi revista. Es __*la mía*__.

1. ¿Es ésta su taza, Sr. Vega? No, _____ está en la mesa.

2. Hoy vamos a Toledo con _____ amigos.

3. Éste no es su tren, Sra. Macías. _____ sale a las 2.30.

4. Ana y yo no vamos a salir con _____ amigas hoy.

5. Perdone, ¿es éste su periódico? No, no es _____.

6. Esos no son nuestros hijos. ¡_____ están en casa!

7. ¿Son éstas _____ llaves, Sr. Sánchez?

8. Ésta no es la billetera de Ramón. _____ es negra.

Cristina **habla**.

Eva **va a hablar**.

EJERCICIO 44

Ejemplo: Mañana **_voy a salir_** a las 6.00. *(salir)*

1. Juan y yo no _____ esa película esta noche. *(ver)*

2. ¿_____ Ana y su esposo en coche? *(venir)*

3. El profesor _____ una pregunta. *(hacer)*

4. ¿A qué hora _____ sus hermanas? *(volver)*

5. Yo _____ a la farmacia. *(ir)*

6. ¿Sabe Ud. a qué hora _____ el director? *(llegar)*

7. Mi casa nueva no _____ mucho. *(costar)*

8. Ud. _____ el autobús para Cali. *(tomar)*

EJERCICIO 45

Ejemplo: Yo **tomo** el autobús en la parada de la calle Mayor. *(tomar)*

1. Por favor, ¡_____ este ejercicio hoy! *(hacer)*

2. Mis hijos _____ al cine para _____ una película brasileña. *(ir / ver)*

3. ¿Sabe Ud. dónde _____ la Plaza de San Gabriel? *(estar)*

4. Perdone, ¿_____ Ud. la hora? *(tener)*

5. Ud. y yo _____ a Berlitz todos los días menos los domingos. *(venir)*

6. Juana _____ la oficina y después _____ las llaves en el bolsillo. *(abrir / poner)*

7. Esas muchachas no _____ de Venezuela. *(ser)*

8. ¿Cuántos idiomas _____ Ud.? *(hablar)*

9. El avión _____ de Caracas a las dos de la tarde y _____ aquí a las siete. *(salir / llegar)*

10. Estas flores _____ mucho más dinero que ésas. *(costar)*

11. Mi amigo Paco y yo _____ un café en el restaurante Portal. *(tomar)*

12. Yo _____ del coche y _____ la puerta con llave. *(salir / cerrar)*

13. El director _____ la carta en la mesa. *(poner)*

14. ¿Quiénes _____ en la oficina a las doce? *(entrar)*

Son las dos y media de la tarde. Diana Córdoba y sus hijos están en la Estación Central de Santiago de Chile. Hay pocas personas delante de ellos y no esperan mucho para hablar con el empleado.

Sra. Córdoba: ¡Buenas tardes! ¿A qué hora sale el tren para Rancagua?

Empleado: Hay uno a las tres y otro a las tres y cuarenta.

Sra. Córdoba: Bueno. Vamos a tomar el tren de las tres. ¿Y cuánto cuestan los boletos?

Empleado: ¿Sencillos o de ida y vuelta?

Sra. Córdoba: De ida y vuelta.

Empleado: El suyo cuesta 2.500 pesos. Para sus hijos los boletos cuestan 1.800 pesos cada uno.

Sra. Córdoba: Perfecto. Entonces deme tres boletos, por favor. Uno para mí y dos para mis hijos.

Empleado: Sí, señora … aquí los tiene. Son 6.100 pesos, por favor.

La Sra. Córdoba toma su billetera, la abre, paga los boletos, y los toma.

Sra. Córdoba:	Gracias. ¿De qué andén sale el tren?
Empleado:	Del número uno. ¿Sabe Ud. dónde está?
Sra. Córdoba:	No, no sé.
Empleado:	Salga por esa puerta y doble a la izquierda.
Sra. Córdoba:	¡Muchas gracias!

EJERCICIO 46

1. ¿Dónde están la Sra. Córdoba y sus hijos a las dos y media?

2. ¿A qué ciudad va la Sra. Córdoba?

3. ¿Cuántos trenes hay para Rancagua?

4. ¿A qué hora salen los trenes?

5. ¿Qué tipo de boletos quiere la Sra. Córdoba?

6. ¿Cuestan más o menos los boletos de niños?

7. ¿Cuánto cuestan los tres boletos?

8. ¿De qué andén sale el tren?

PRÁCTICA DE VERBOS

EJERCICIO 47

Ejemplo: No __*meto*__ los boletos en mi bolso.

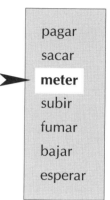

1. Yo _____ del metro a dos cuadras de mi oficina.

2. Nosotros _____ el tren por 20 minutos solamente.

3. ¿Cuánto _____ Rita por su boleto de ida y vuelta?

4. ¿Qué _____ ellos de las cajas?

5. Rafael y yo _____ al autobús en la esquina del banco.

6. ¿Cuántos cigarrillos _____ Ud. todos los días?

pagar

sacar

meter

subir

fumar

bajar

esperar

¿SABE UD. ...?

Martina va a Lima el **miércoles**.
→ ¿Sabe Ud. **cuándo** va a Lima Martina?

El banco abre **a las 9.00**.
→ ¿Sabe Ud. **a qué hora** abre el banco?

EJERCICIO 48

Ejemplo: La Sra. Goya va **al teatro** esta tarde.
        ¿Sabe Ud. adónde va la Sra. Goya esta tarde?

1. El coche cuesta **1,5 millón de pesetas**.

2. El hijo de esa señora se llama **Miguel**.

3. El Sr. Montoya viene **de Sevilla**.

4. El supermercado está abierto **hasta las 10.00**.

5. Hoy es **miércoles**.

LA SRA. ÁLVAREZ TOMA SU BILLETERA Y LA ABRE

EJERCICIO 49

A. *Ejemplo:* Yo abro la puerta. __*La abro*__ para salir.

    1. Tomamos nuestros boletos.   _____ de la mesa.

    2. Ud. no tiene la carta aquí.   _____ en su bolsillo.

    3. Juan y Ana toman un café.   _____ sin azúcar.

    4. Ud. no ve los números del reloj.   _____ sin gafas.

    5. Pedro saca las llaves.   _____ del bolsillo.

B. *Ejemplo:* Veo la Torre Eiffel. Voy a París para __*verla*__ .

    1. Tomamos el avión. Vamos al aeropuerto para _____.

    2. Ud. mete las cartas en el cajón. Abre el cajón para _____.

    3. Los chicos ven la película. Van al cine para _____.

    4. Pedro fuma un cigarrillo. Lo toma del bolsillo para _____.

    5. Compro los periódicos. Voy al quiosco para _____.

C. *Ejemplo:* abrir la puerta   __*¡Ábrala!*__   __*¡No la abra!*__

    1. cerrar el libro   _____   _____

    2. hacer algunos ejercicios   _____   _____

    3. tomar el periódico   _____   _____

    4. poner las flores aquí   _____   _____

    5. comprar una cerveza   _____   _____

EJERCICIO 50

Horizontales ▶

1. Voy al _____ para sacar dinero.
4. ¿_____ qué nacionalidad es Ud.?
6. Raúl _____ a mi casa esta tarde.
8. Esa pluma es suya, pero ésta es _____.
9. ¿_____ Ud. bien sin gafas?
10. ¿Qué _____ Eva después del trabajo?
11. Miro mi _____. Son las 3.15.
14. ¿_____ Uds. de Chile?
15. ¿Quién tiene _____ boletos?
17. La lámpara está _____, en esa mesa.
18. El _____ está en la pared.
21. Tomo el café _____ leche.
22. Yo no fumo y Ud. no _____ tampoco.
23. Tomo el tren para _____ a la oficina.
24. Ella tiene _____ lección a las 9.00.
25. ¿Cuándo va a _____ _____ Luis?
    – Voy a verlo el jueves.

Verticales ▼

2. Tomo café _____ de la lección.
3. Yo _____ el periódico en el quiosco.
4. La pluma está _____ _____ la revista.
5. El cine está _____ la calle Merchán.
6. Ud. viene a la escuela y después _____ a la oficina.
7. _____ mapa es de Europa.
10. ¡_____, Pedro! ¿Cómo está?
12. No hay nada _____ de la mesa.
13. Capital de Francia.
14. ¿Está bien? – ¡_____, muy bien!
16. El _____ y la Sra. Rivas están en el restaurante.
19. Tengo _____ estampilla de México.
20. Compro dos tarjetas, una para mi amigo y la _____ para mi hermano.
21. Señorita, aquí tiene _____ café.
23. Abro la puerta para sal-_____.

Esto es …
– un boleto
  de ida y vuelta
  sencillo
  chico
  negocio
  pasillo
  plano
  supermercado

– una chica
  cosa
  cuadra
  esquina

El calendario:
el día, la semana, el mes, el año

¿En qué mes estamos?
– Estamos en …

enero	julio
febrero	agosto
marzo	septiembre
abril	octubre
mayo	noviembre
junio	diciembre

¿Cuál es la diferencia entre estos trenes?
– Son de colores diferentes.
  Uno es nuevo, el otro es viejo.
  Uno es rápido, el otro es lento.

¿Cuál es el río más largo de América?
– El Amazonas es el río más largo de
  América.

¿Qué ciudad es la más grande del
mundo?
– La ciudad de México es la más grande
  del mundo.

¿Dónde está el Sr. …?
– Está dentro de la clase.

¿Y la Sra. …?
– Está fuera de la clase.

¿Dónde están los libros?
– El mío esta aquí, el suyo esta allá.

¿Qué hace Ud.?
– Saco dinero de mi bolsillo.
  Pago por el boleto.
  Meto el boleto en mi billetera.
  Fumo un cigarillo.
  Subo al tren a las diez.
  Bajo del tren a las once.
  Espero a mi amiga en la plaza.
  Miro a la gente en la calle.

¿Ve Ud. al Sr. Camejo?
– Sí, lo veo.

¿Ve Ud. a su esposa?
– No, no la veo.

¿Cuándo va Ud. a verla?
– Voy a verla mañana.

Por favor, …
¡Tome la llave! / ¡Tómela!
¡No tome la llave! / ¡No la tome!

Expresiones:
¿Sabe Ud. dónde está el museo?
Siga derecho.
Doble a la izquierda en la calle …
Quisiera comprar una billetera.
¿Qué tal ésta?
Un boleto para …, por favor.
¿De primera o de segunda clase?

CAPÍTULO

7

EL ESPAÑOL DE AMÉRICA LATINA Y ESPAÑA

Más de 300 millones de personas hablan español. El español – también se llama el castellano – se habla en veinte países en tres <u>continentes.</u>

De unos países a otros hay diferencias en el vocabulario y en algunas expresiones. Por ejemplo, cuando se habla por teléfono en muchos países de América Latina, se empieza la conversación con la palabra "¡Aló!" Sin embargo, los argentinos y los uruguayos la empiezan con "¡Hola!" En México la expresión correcta es "¡Bueno!" y en España se dice "¡Diga!" o "¡Dígame!"

Otros ejemplos interesantes: en Venezuela se escribe con un "bolígrafo", pero en Colombia se usa un "esfero".

En Venezuela mucha gente toma el "autobús" para ir al trabajo, pero en Argentina se va en "colectivo".

Las diferencias entre el español de América Latina y de España son más grandes. En América Latina se dice "carro" pero en España se usa la palabra "coche".

También hay diferencias de ortografía[1]. En América Latina la palabra "México" se escribe con "x", pero en España generalmente se escribe con "j": "Méjico". Otro ejemplo: en América Latina se escribe "Ud." pero los españoles lo escriben así: "Vd.".

Hay una diferencia de pronunciación. En América Latina, la "c" y la "z" en palabras como "cinco", "cero", "taza" y "azúcar" se pronuncian como "s". Pero en España, generalmente, se pronuncian como la "th" de la palabra inglesa "think".

La gramática también tiene diferencias. En América Latina, igual que en España, se dice: *Yo veo a Juan.* Sin embargo, cuando se usa un pronombre, en América Latina se dice lo: *lo veo*; pero en España es común[2] decir: *le veo.*

[1] *ortografía = como se escriben las palabras*

[2] *es común = se usa*

EJERCICIO 51

1. ¿En cuántos países se habla español?
   SE HABLA ESPAÑOL EN VEINTE PAÍSES.

2. ¿Cómo empieza una conversación telefónica en México?
   EMPIEZAN UNA CONVERSACIÓN TELEFÓNICA EN MÉXICO CON "¡BUENO!"

3. ¿Se dice la misma palabra en España? ¿Qué se dice?
   SE DICE "¡DIGA!" WHAT IS SAID?

4. ¿Cómo se dice "bolígrafo" en Colombia?
   SE DICE ESFERO

5. ¿Y en Venezuela?
   SE DICE "BOLIGRAFO"

6. ¿Dónde se dice "lo veo"?
   EN ESPAÑA X EN AMÉRICA LATINA SE DICE "LO VEO"

the people

> En España **la gente** habla español.
> → **Se** habl**a** español.
>
> En Canadá la gente habla dos idioma**s**.
> → **Se** habl**an** dos idioma**s**.

nuestro - our *before* *ensayar - practice* *aprendar - learn*

> No **se sale** de nuestra oficina antes de las cinco.
>
> En los países árabes **se escribe** de derecha a izquierda.
>
> **Se enseñan** y **se aprenden** muchos idiomas en Berlitz.

EJERCICIO 52

abrir
yo - abro
el/ella/Ud — abre
nosotros - abrimos
ellos/ellas
Uds — abren

Ejemplos: En Inglaterra la gente toma té a las cuatro de la tarde.
En Inglaterra se toma té a las cuatro de la tarde.

¿Dónde compramos postales?
¿Dónde se compran postales?

1. ¿Qué idioma habla la gente en Alemania?
   se hablan aleman

2. ¿A qué hora abre la gente las tiendas?
   ¿A qué hora se abren las tiendas?

3. No subimos al tren sin boleto.

4. ¿Con qué dinero paga la gente en Italia?
   ¿CON QUÉ DINERO SE PAGA EN ITALIA?

5. ¿Cómo pronuncia la gente en España estas palabras?
   ¿CÓMO SE PRONUNCIA EN ESPAÑA ESTAS PALABRAS?

6. Desde aquí vemos toda la ciudad.

7. La gente no dice "buenos días" por la tarde.
   No se dice "buenos días" por la tarde

8. Todos los días hablamos sobre lo mismo.

Yo hablo en español. *(a Ud.)*
→ Yo **le** hablo en español.

Ud. escribe una carta. *(a mí)*
→ Ud. **me** escribe una carta.

Mi esposo **me** da una taza de café.
¿**Les** escribe Ud. a sus hermanos?
Ella no **nos** lee el artículo del periódico.

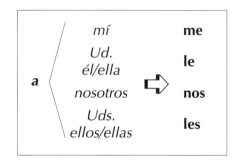

EJERCICIO 53

Ejemplo: Elena escribe una carta. *(a su amiga)*
Elena le escribe una carta.

1. El Sr. Bustamante explica la lección. *(a mí)*
   El Sr. Bustamante me explica la lección

2. Gerardo y yo mostramos la ciudad. *(a Ana)*

3. ¿Qué dicen Uds. por la mañana? *(a Luis y a mí)*

4. Rodolfo lee el artículo. *(a Uds.)*

5. Mi profesor enseña mucho. *(a mí)*
   Mi profesor me enseña mucho

6. ¿No habla la secretaria en francés? *(a Ud.)*
   ¿No le habla la secretaria en francés?

7. Mi amigo paga 100 pesos. *(al empleado)*
   Mi amigo les pagamos 100 pesos ✗ *Mi amigo le paga 100 pesos*

8. Nosotros damos las flores. *(a las chicas)*
   Nosotros les damos las flores

Son las 6.00 de la tarde. Tomás Camejo y Lola Reyes salen de la oficina después de un largo día de trabajo.

Sr. Camejo: Adiós, Sra. Reyes.

Sra. Reyes: Hasta mañana, Sr. Camejo. Ahora voy a Berlitz. Tengo una lección de francés a las siete.

Sr. Camejo: ¿Y por qué aprende francés?

Sra. Reyes: Porque quiero ir a Francia el año próximo con mi familia.

Sr. Camejo: ¿Cuántas veces a la semana va a clase?

Sra. Reyes: Voy los martes y los jueves por hora y media. Después, en casa, hago los ejercicios y escucho las cintas.

Sr. Camejo: ¿Y qué hacen Uds. en la clase?

Sra. Reyes: Pues, ¡tenemos que hablar francés! El profesor dice algo y nosotros lo repetimos. Después él nos hace preguntas y nosotros le contestamos.

Sr. Camejo: ¿Siempre en francés?

Sra. Reyes: ¡Sí, claro! ¡Nunca hablamos español en la clase!

Sr. Camejo: ¡Qué bueno! Y, ¿puede Ud. comprender todo?

Sra. Reyes: ¡Claro que sí! Mire, éste es el libro. ¿Quiere verlo?

Sr. Camejo: ¡Cómo no! … Pero todo está en francés. ¿Cómo puede comprenderlo? ¿No es muy difícil?

Sra. Reyes: No. Con el método Berlitz es fácil aprender un idioma. Si quiere, puede venir conmigo a la escuela y hablar con el director. Él puede explicarle todo.

EJERCICIO 54

1. ¿Adónde va la Sra. Reyes?

2. ¿A qué hora tiene su lección?

3. ¿Cuántos días a la semana va a la escuela Berlitz?

4. ¿Qué idioma aprende?

5. ¿Por qué quiere aprender francés?

6. ¿Qué hace la Sra. Reyes en su casa?

7. ¿Habla español en la clase?

8. ¿Tiene el libro los capítulos solamente en francés?

Quiere entrar en su casa.

No **puede** entrar porque no tiene la llave.

Tiene que esperar a su esposo.

EJERCICIO 55

HAVE TO

Ejemplo: Yo **tengo que** ver al director a las dos. *(tener que)*

WOULD LIKE

1. Mi familia y yo *queremos* ir a México en agosto. *(querer)*

2. Juana *tiene que* hacer una pregunta muy importante. *(tener que)*

3. No se *puede que* entrar en este país sin pasaporte. *(poder)*

4. Yo siempre _____ esperar el tren por más de 15 minutos. *(tener que)*

5. ¿Por qué _____ Elena y Raúl aprender francés? *(querer)*

6. ¿Adónde _____ ir nosotros esta noche? *(poder)*

7. Alfonso dice que no _____ mostrarnos sus fotos. *(querer)*

8. ¿A qué hora _____ ir Ud. al aeropuerto? *(tener que)*

9. Si Uds. hablan despacio, yo _____ entender todo. *(poder)*

10. Luisa y su amiga no _____ dar una respuesta. *(querer)*

EJERCICIO 56

Ejemplo: Yo **aprendo** español en Berlitz y mi profesor lo __*enseña*__ .

1. El profesor **hace preguntas** y yo las _____ .

2. La película _____ a las nueve y **termina** a las diez y media.

3. Mi hermana mira _____ , pero no compra **nada**.

4. Es bueno hablar español **dentro** de la clase y _____ de la clase también.

5. **Siempre** voy a trabajar a las ocho, pero _____ vuelvo a casa antes de la seis de la tarde.

6. "A" es la **primera** letra del alfabeto y "Z" es la _____ .

7. Aprendemos el _____ idioma, pero tenemos **diferentes** profesores.

8. El ruso es un idioma **difícil** pero el español es un idioma _____ .

9. Quiero comprar una bicicleta _____ y le voy a dar la **vieja** a mi hermano.

10. El tren es más **rápido** que el coche, pero es más _____ que el avión.

fácil

mismo

nunca

todo

enseña

contesto

nueva

lento

fuera

empieza

última

"¿Qué hace Ud. por las tardes?"

El señor le pregunta qué hace por las tardes.

"Voy al cine con unas amigas."

La señora le dice que va al cine con unas amigas.

Estilo directo	**Estilo indirecto**
	*Él **dice***
"Me gustan las películas italianas."	… **que** le gustan las películas italianas.
"Quiero ver también la nueva película francesa."	… **que** quiere ver también la nueva película francesa.
	*Ella **pregunta***
"¿Va Martina con Ud.?"	… **si** Martina va con él.
"¿A qué hora empieza la película?"	… **a qué hora** empieza la película.

EJERCICIO 57

Ejemplos: "¿Tiene Ud. una computadora?" *If*
Mi amigo me pregunta **si tengo una computadora** .
asked me
"Mi esposo y yo vamos a casa de nuestros amigos."
La Sra. Alba dice que **ella y su esposo van a la casa de sus amigos** .
SAID THAT

1. "Los sábados siempre salgo con mis amigos."
   Margarita dice _____.

2. "¿Aprenden Uds. inglés?"
   Ud. nos pregunta _____.

3. "¿Qué hora es?"
   Yo le pregunto _____.

4. "Quiero mi café con leche y azúcar."
   Ud. me dice _____.

5. "¿Qué autobús se toma para ir a Cuzco?"
   Yo le pregunto _____.

6. "No entendemos nada si ellos hablan rápido."
   Uds. dicen _____.

7. "¿Cuándo van Uds. a Inglaterra?"
   Yo les pregunto _____.

8. "¿Puedo entrar?"
   Ud. le pregunta a la secretaria _____.

9. "Yo no sé lo que ella quiere."
   Ud. dice _____.

10. "¿Cuál es su teléfono?"
    María me pregunta _____.

Sustantivos:

el alfabeto	la frase
el artículo	la letra
el pasaporte	la respuesta

Números ordinales:

primero	sexto
segundo	séptimo
tercero	octavo
cuarto	noveno
quinto	décimo

Verbos:

aprender	escuchar
comprender	estudiar
dar	explicar
decir	leer
durar	mostrar
empezar	preguntar
enseñar	pronunciar
entender	terminar
escribir	usar

¿Qué dice Arturo?
– Me dice \
  Le dice \
  Nos dice ¡Hola!
  Les dice /
  a mí.
  a Ud. / él / ella.
  a nosotros.
  a Uds. / ellos / ellas.

¿A quién le da Ud. el cuadro?
– Le doy el cuadro a Pablo.

¿Qué le explica Ud. a su amiga?
– Le explico donde está la farmacia.

¿Cuándo va Ud. a la escuela Berlitz?
– Voy tres veces a la semana.

¿Cuánto tiempo dura la lección?
– Dura cuarenta minutos.

¿Qué se hace en la clase?
– En la clase se habla español.
  se pregunta
  se contestan las preguntas
  se aprenden nuevas palabras

¿Qué le pregunta el señor a Ud.?
– Me pregunta si el español es difícil.

¿Qué le dice Ud. a él?
– Le digo que el español no es difícil.
  Es fácil.

¿Comprende Ud. lo que digo?
– Sí, comprendo todo.
  No, no comprendo nada.

¿Siempre va Ud. al trabajo en coche?
– No, algunas veces voy en metro, pero
  nunca voy en taxi.

poder / querer / tener que
– Tengo que ir al banco.
– No quiero tomar el coche.
– Puedo ir en el autobús.

¿Por qué no quiere comprar este coche?
– No quiero comprarlo porque es
  demasiado caro.

Expresiones:
¡Qué lástima!
De acuerdo.

CAPÍTULO

8

El viernes por la noche, David Ibáñez llegó a San Carlos de Bariloche, una ciudad de los Andes argentinos, para hacer un poco de turismo y también para ver a su amiga Juliana.

El sábado David empezó con un buen desayuno. Bajó al restaurante del hotel y comió pan con mermelada y tomó café con leche. Después, tomó su cámara y un plano de la ciudad y salió para ver algo de la región.

Después de ir a ver la Isla Victoria, en el Lago Nahuel Huapí, David escribió unas postales a sus amigos. Cuando acabó, almorzó en el *Restaurante Las Cumbres.*

RESTAURANTE LAS CUMBRES

Calle Laureles, 18
Tel. 266-6829

GO DOWN

MESA   11

ensalada de tomate	3,00
bife con papas	21,50
torta de manzana	3,50
vino blanco	5,00
CUBIERTO	
TOTAL	$ 33,00

Por la tarde, volvió al centro de Bariloche y compró una caja de chocolates, una especialidad de la ciudad. A las ocho, entró en el restaurante *Dos Gardenias* para cenar con su amiga Juliana.

La comida argentina es famosa por sus carnes, pero en la zona de Bariloche hay grandes lagos, y los restaurantes también ofrecen muchos platos de pescado, como trucha y salmón.

EJERCICIO 58

1. ¿Cuándo llegó David a Bariloche?

2. ¿Qué desayunó?

3. ¿Almorzó en Bariloche o en la Isla Victoria?

4. ¿Cuánto pagó por el almuerzo?

5. ¿Con quién cenó?

Hoy Jorge **toma** vino tinto.

Ayer Jorge **tomó** vino blanco.

	tomar	comer	abrir
yo	tom**é**	com**í**	abr**í**
Ud. él / ella	tom**ó**	com**ió**	abr**ió**

(ver las tablas de conjugaciones, pág. 164)

EJERCICIO 59

Ejemplo: Ayer por la mañana yo __*compré*__ el periódico. *(comprar)*

1. Luis me _____ el nuevo horario de trenes. *(mostrar)*

2. ¿A qué hora _____ su esposo para el aeropuerto? *(salir)*

3. Esta mañana yo _____ un artículo muy interesante. *(leer)*

4. ¿Cuánto tiempo _____ ella en la capital? *(vivir)*

5. Anoche yo _____ el metro por más de 10 minutos. *(esperar)*

6. ¿Qué _____ Ud. de postre, frutas o helado? *(comer)*

EJERCICIO 60

Ejemplo: Anoche Isabel **_cenó_** con su amiga.

           a) desayunó   b) almorzó   c) cenó

1. ¿_____ Ud. este libro?

       a) Leo   b) Leí   c) Leyó

2. Ella comió el postre _____ de almorzar.

       a) antes   b) después   c) enfrente

3. No empecé _____ almorzar hasta la una de la tarde.

       a) a   b) de   c) en

4. ¿Cuándo terminó Alberto _____ pagar su coche nuevo?

       a) a   b) por   c) de

5. ¿Cuánto cuesta un _____ de jamón y queso en este restaurante?

       a) bollo   b) bocadillo   c) pan

6. Noviembre es el _____ mes del año.

       a) penúltimo   b) último   c) próximo

7. Antes de empezar a comer yo le digo, " _____ provecho!"

       a) Bien   b) Buen   c) Bueno

8. ¿Qué _____ Ud. ayer por la mañana en su trabajo?

       a) hace   b) hice   c) hizo

9. Ellos siempre _____ hambre.

       a) hacen   b) son   c) tienen

10. ¿Sabe Ud. _____ días a la semana trabaja José?

       a) cuántos   b) cuánto   c) cuándo

¡BUEN PROVECHO!

David Ibáñez entró en el restaurante *Dos Gardenias* y poco después entró su amiga Juliana León. David la saludó[1] desde el bar. Entonces, un camarero les mostró una mesa al lado de la ventana y les dio el menú.

Camarero: ¿Qué desean, señores? ¿Les traigo una sopa o una ensalada primero?

Juliana: Pues ... no sé. ¿Qué tipo de ensalada tienen?

Camarero: Tenemos ensalada de tomate, ensalada verde y ensalada mixta.

Juliana: Yo prefiero una ensalada de tomate y la pasta primavera.

Camarero: Muy bien. ¿Y Ud., señor?

David: A mí tráigame un bistec y una ensalada mixta ... y también tráiganos una botella de vino de Mendoza.

Camarero: Sí, cómo no. Vuelvo enseguida.

---

[1] *saludar = decir hola*

Poco después el camarero les trajo pan y la botella de vino. Diez minutos más tarde volvió con la comida.

> *Camarero:* Aquí tienen, señores. ¡Buen provecho!

Después de cenar, David llamó al camarero.

> *David:* ¡Camarero, por favor!
>
> *Camarero:* Sí, señores, ¿desean algo más?
>
> *Juliana:* Sí, para mí un café negro, por favor.
>
> *David:* Y para mí un café con leche. ¡Ah! y también tráigame la cuenta.
>
> *Camarero:* Muy bien, señor.

EJERCICIO 61

1. ¿Cuándo llegó Juliana al restaurante?

2. ¿Qué les dio el camarero a David y a Juliana?

3. ¿Qué comida pidió Juliana?

4. ¿Pidió David lo mismo?

5. ¿Qué pidió?

6. ¿Qué les trajo el camarero antes de la comida?

7. ¿Quién tomó café negro después de comer?

8. ¿Qué comió David de postre?

> Todas las mañanas bebo café.
> → Me gusta *el café.*
>
> Me gust**an** también *los huevos.*
>
> Me gusta *desayunar* tempranо.
>
> ¿**Le** gusta *a Ud.* escribir cartas?
> *A mis amigos* **les** gusta la comida mexicana.
> ¡*A los niños* no **les** gustan los vegetales!

EJERCICIO 62

Ejemplos: frutas / yo
Me gustan las frutas.

cenar tarde / nosotros
Nos gusta cenar tarde.

1. ¿trabajar los sábados / Ana?

2. los postres de este restaurante / yo

3. almorzar a la una / nosotros

4. ¿las películas italianas / Ud.?

5. no pagar con cheques de viajero / yo

6. ¿las comidas con mucha sal y pimienta / Uds.?

7. la música clásica / mi esposo y yo

8. no pedir siempre la misma comida / Luciana y Nicolás

	dar	estar	ir / ser	venir	tener	hacer
yo	di	estuve	fui	vine	tuve	hice
Ud. / él / ella	dio	estuvo	fue	vino	tuvo	hizo

(ver las tablas de conjugaciones, pág. 164)

EJERCICIO 63

Ejemplo: Ayer mi padre __*fue*__ a Granada. *(ir)*

1. ¿Dónde _____ las cartas la secretaria? *(poner)*

2. Ud. no _____ a la oficina ayer. *(venir)*

3. Anoche yo les _____ a mis amigas una película muy buena. *(recomendar)*

4. ¿Qué _____ el niño con las manzanas? *(hacer)*

5. Ayer yo no _____ cenar a las 7.00, porque _____ que trabajar hasta las 8.00. *(poder / tener)*

6. El camarero nos _____: "¡Buen provecho!" *(decir)*

7. ¿A qué hora _____ Pamela ayer? *(volver)*

8. Yo no _____ ir al museo con Gerardo. *(querer)*

9. Marta _____ una ensalada mixta pero el camarero le _____ una verde. *(pedir / traer)*

10. Mi amigo me _____ un helado de chocolate. *(dar)*

11. Ayer yo _____ en casa todo el día. *(estar)*

12. ¿Cuándo _____ Ud. a Roma? *(ir)*

EJERCICIO 64

Ejemplos:

¿Ya está la señora en el restaurante?
Sí, ya está en el restaurante.

¿Ya comió la señora?
No, aún no comió.

1. ¿Aún lee el menú?

2. ¿Ya le trajo el camarero un vaso de agua?

3. ¿Ya pidió la señora su comida?

4. ¿Ya trajo la comida el camarero?

5. ¿Ya trajo la cuenta?

6. ¿Ya terminó su almuerzo la señora?

7. ¿Aún está la señora en el restaurante?

8. ¿Ya puso su tarjeta de crédito en la mesa?

En el Restaurante

¿Qué le traigo?

Quisiera un bistec.

¿Qué le gustaría beber?

Tráigame una copa de vino blanco, por favor.

¿Ya sabe Ud. lo qué va a tomar?

Un momentito, ... aún no sé.

Vuelvo en un momento.

¿Cuál es la especialidad de la casa?

Nos gustaría comer algo típico.

¿Qué nos recomienda?

¿Puede traerme una servilleta?

¿Nos puede traer un poco más de pan, por favor?

¿Me puede dar la sal, por favor?

¡Buen provecho!

¿Está todo a su gusto?

Estupendo, gracias.

¿Qué tipo de postres tienen?

Nos trae la cuenta, por favor.

¿Aceptan tarjetas de crédito?

¿Está incluida la propina?

Sustantivos:

el camarero	la clienta
el cheque	la comida
el cliente	la cuenta
el menú	la propina
el servicio	la tarjeta de crédito

Verbos:

aceptar	llamar
almorzar	ofrecer
beber	pedir
cenar	preferir
comer	recomendar
desayunar	traer

¿Qué comen Uds.?

– Comemos …

(el) bistec	(la) carne
(el) pollo	(la) ensalada
(el) jamón	(las) papas fritas

¿Qué beben Uds.?

– Bebemos …

(el) jugo de tomate / naranja.
(el) agua mineral.

¿Qué quieren tomar de postre?

– De postre me gustaría …

el helado de chocolate, por favor.
la torta de fresas.

¿Le gusta el pescado a Ud.?

– Sí, me gusta mucho.

¿Y le gustan las verduras?

– No, no me gustan.

¿Qué hizo la Sra. Reyes ayer?

– Salió de la oficina a las cinco.
  Entró en el restaurante.
  Comió una ensalada mixta.
  Bebió agua mineral.
  Pagó la comida.
  Y dejó una propina para el camarero.

¿Qué hizo Ud. anoche?

– Fui al restaurante.
  Vine a la escuela después.
  Traje mi libro.
  Dije "Buenas noches" al profesor.
  Puse mi libro en la mesa.
  Le pedí un lápiz al profesor.

¿Ya acabó la lección?

– Sí, ya acabó.
  No, aún no acabó.
  Aún estamos en la clase.

¿Qué horas trabaja Ud.?

– Empiezo a trabajar a las nueve.
  Termino de trabajar a las cinco.

Expresiones:

¿Qué desea Ud.?
Me gustaría …
¡Inmediatamente, señora!
¡Buen provecho!
¿Está todo a su gusto?
Excelente, gracias. La cuenta, por favor.
Enseguida, señor.

CAPÍTULO

Nicolás Romero vive en Madrid. Es un hombre de negocios muy ocupado. Ahora son las 10.00 de la mañana. El Sr. Romero fue al banco y, cuando salió, vio a sus vecinos, los Hurtado.

Sr. Romero: ¡Hola, Sres. Hurtado!

Sr. Hurtado: ¡Buenos días, Sr. Romero!

Sr. Romero: ¿Qué tal están? Hace bastante tiempo que no los veo.

Sr. Hurtado: Es que estuvimos en Venezuela.

Sr. Romero: ¡En Venezuela! ¡Vaya! ¿Y cuánto tiempo estuvieron allí?

Sra. Hurtado: Dos semanas. Salimos el día 6 y volvimos el 20 por la noche.

Sr. Romero: ¿Y les gustó? ¿Qué hicieron?

Sr. Hurtado: Nos encantó. Visitamos la capital y también fuimos al Parque Nacional de Canaima, uno de los más grandes del mundo.

Sra. Hurtado:	Sí. ¡Venezuela tiene mucho que ver! Pero dos semanas es poco tiempo. Y Ud. ... ¿Qué tal? ¿Cómo va todo?
Sr. Romero:	Como siempre, con mucho trabajo. La semana pasada llegaron unos clientes de Chile y estuvimos muy ocupados. Pero ya todo acabó. Volvieron a Chile ayer por la tarde ... ¡Huy! Tengo que volver a la oficina. Me esperan para una reunión en media hora.
Sra. Hurtado:	Bueno. ¿Por qué no cenamos un día y así tenemos más tiempo para hablar?
Sr. Romero:	Me gustaría mucho.
Sr. Hurtado:	¿Tiene algo que hacer este próximo domingo? Venga con su esposa a nuestra casa.
Sr. Romero:	A ver ... ¿este próximo domingo? ... Es el cinco, ¿no? ... Sí, perfecto, estoy libre.
Sr. Hurtado:	¿Qué tal a las ocho?
Sr. Romero:	Estupendo, hasta el domingo. ¡Adiós!
Sra. Hurtado:	Hasta el domingo.

EJERCICIO 65

1. ¿Quiénes son los Hurtado?

2. ¿Dónde estuvieron?

3. ¿Cuánto tiempo duró su visita en Venezuela?

4. ¿Qué visitaron?

5. ¿De qué país llegaron los clientes del Sr. Romero?

6. ¿Ya volvieron a su país o aún están en Madrid?

Regular

	nosotros	Uds. ellos / ellas
llegar	lleg**amos**	lleg**aron**
beber	beb**imos**	beb**ieron**
escribir	escrib**imos**	escrib**ieron**

Irregular

	nosotros	Uds. ellos / ellas
ir / ser	**fuimos**	**fueron**
tener	**tuvimos**	**tuvieron**
hacer	**hicimos**	**hicieron**

(ver las tablas de conjugaciones, pág. 164)

EJERCICIO 66

Escriba en el pretérito:

El sábado por la mañana Isidro y Francisco _____ *(salir)* para Toledo. _____

(ir) en el coche de Isidro y _____ *(llegar)* a la ciudad antes de las 10.00. Primero

_____ *(poner)* el coche en un buen estacionamiento y después _____ *(entrar)*

en la cafetería Solimar para desayunar. _____ *(estar)* allí por una hora y después

_____ *(ir)* hasta la calle Mayor y _____ *(esperar)* a Ana y a Sandra, dos

amigas de Cuenca. Ana y Sandra también _____ *(venir)* en coche pero no

_____ *(llegar)* hasta las 12.30. No _____ *(poder)* llegar antes porque

_____ *(tener)* problemas con el coche.'

¿**Cuánto tiempo hace que** Ud. fue a México?
– **Hace** dos años **que** fui a México.

¿**Cuántos años hace que vive** Teresa en Bogotá?
– **Hace** un año **que vive** en Bogotá.

¿**Desde cuándo** vive Teresa en Bogotá?
– **Vive** en Bogotá **desde** el año pasado.

EJERCICIO 67

Ejemplo: ¿Desde cuándo trabaja Ud. para Balcosa? *(1992)*
Trabajo para Balcosa desde 1992.

1. ¿Cuánto tiempo hace que Alicia recibió una carta de su amiga? *(un mes)*

2. ¿Cuántos días hace que Carlos y Julián llamaron a su hermana? *(diez días)*

3. ¿Desde cuándo tiene Ud. esa cámara? *(1990)*

4. ¿Cuánto hace que Uds. fueron al cine? *(tres semanas)*

5. ¿Desde cuándo lee Francisco los periódicos franceses? *(el año pasado)*

6. ¿Cuántas semanas hace que Luis no fuma un cigarrillo? *(cuatro semanas)*

7. ¿Desde cuándo están Uds. aquí? *(12.30)*

8. ¿Cuántos meses hace que Ud. no toma vacaciones? *(nueve meses)*

Son las 7.30 de la mañana y el Sr. Romero ya entró en su oficina. Poco tiempo después llamó al Sr. Sandoval.

Sr. Sandoval: ¿Dígame?

Sr. Romero: Buenos días, soy Nicolás Romero. ¿Puedo hablar con el Sr. Sandoval?

Sr. Sandoval: Sí, soy yo. ¿Cómo está, Sr. Romero?

Sr. Romero: Bien, gracias. Lo llamo porque tengo que cancelar nuestra cita de mañana por la tarde. Lo siento, pero tengo que salir para Londres mañana por la mañana.

Sr. Sandoval: ¡Vaya, qué lástima! Entonces ... ¿qué podemos hacer? ¿Qué día va a volver?

Sr. Romero: El primero.

Sr. Sandoval: A ver ... El primero es martes, ¿verdad? Lo siento, pero ese día voy a estar muy ocupado porque abrimos la nueva oficina.

Sr. Romero: Entonces, el miércoles dos también va a ser difícil, ¿no?

Sr. Sandoval: Sí, creo que sí. Pero el tres estoy libre.

Sr. Romero: ¿El tres? Un momento ... No, el tres no puedo. Ese día estoy en Valencia.

Sr. Sandoval: ¡Valencia! ¿Y hasta cuándo va a estar allí?

Sr. Romero: Hasta el seis o el siete. Aún no lo sé.

Sr. Sandoval: ¡No me diga! Yo también voy a ir a Valencia el cinco. ¿Qué dice si cenamos esa noche?

Sr. Romero: ¡Buena idea! ¿Qué tal a las ocho en el restaurante del hotel Continental? ¿Sabe dónde está?

Sr. Sandoval: ¡Claro que sí! Entonces, ¡hasta el cinco!

EJERCICIO 68

1. ¿A quién llama el Sr. Romero?

2. ¿Por qué lo llama?

3. ¿Adónde tiene que ir el Sr. Romero mañana por la mañana?

4. ¿Por qué el Sr. Sandoval no puede ver al Sr. Romero el primero?

5. ¿Qué día va a estar libre el Sr. Sandoval?

6. ¿Hasta cuándo va a estar el Sr. Romero en Valencia?

7. ¿Qué van a hacer los señores la noche del cinco?

8. ¿Sabe el Sr. Sandoval dónde está el hotel Continental?

EJERCICIO 69

Ejemplo: Yo __llamé__ al Sr. Uribe por teléfono y le __dejé__ un recado en
el contestador. *(llamar / dejar)*

1. Nosotros nunca _____ por qué el Sr. Fonseca _____ su cita.
   (saber / cancelar)

2. ¿Cuántas personas _____ a la reunión de la semana pasada? *(asistir)*

3. Yo _____ la llamada antes de las diez y _____ un recado
   para el Sr. Corona. *(hacer / dejar)*

4. Anoche, ellos _____ el número en la guía telefónica y en la agenda,
   pero no lo _____. *(buscar / encontrar)*

5. ¿Quién _____ por mí hace cinco minutos ? *(preguntar)*

6. Nosotros _____ que darle la respuesta al Sr. Olivares la semana
   pasada. *(tener)*

7. ¿Cuánto tiempo hace que Uds. _____ esa información? *(recibir)*

8. Isabel y yo no _____ llamar a la operadora para pedir los números.
   (querer)

9. ¿No _____ nadie? ¿_____ bien Ud. el número? *(contestar / marcar)*

10. Uds. ya _____ la cita con el nuevo cliente, ¿verdad? *(tener)*

EJERCICIO 70

Ejemplo: Juan y yo tuvimos que ir a la oficina a las dos __*para*__ ver al jefe.

        a) de   **b) para**   c) por

1. Hoy estoy muy ocupado. Tengo mucho _____ hacer.
    a) de   b) que   c) a

2. Después _____ almuerzo pudimos hablar con Sara.
    a) a   b) el   c) del

3. ¿_____ qué no vinieron Rosalía y su esposo?
    a) Por   b) Para   c) De

4. Empecé a trabajar _____ 14 de julio de 1992.
    a) la   b) al   c) el

5. Hace veinte minutos _____ los clientes cancelaron su cita.
    a) que   b) cuando   c) desde

6. La Sra. Requena es una mujer _____ negocios.
    a) a   b) de   c) por

7. ¿Cuánto pagaron ellos _____ todo?
    a) para   b) al   c) por

8. El servicio no está incluido _____ la cuenta.
    a) de   b) a   c) en

9. ¿Asistió Ud. a la reunión ayer _____ la tarde?
    a) por   b) de   c) a

10. Aquí no se puede pagar _____ cheques de viajero.
    a) en   b) con   c) por

EJERCICIO 71

Ejemplo: Cuando se contesta el teléfono, se dice: **"Aló."**

1. Cuando alguien le pregunta, "¿Qué desea de postre?", Ud. dice: _____

2. Cuando un cliente llega a la oficina dice: _____

3. Cuando llama a información Ud. dice: _____

4. Cuando subo a un taxi, el chófer me pregunta: _____

5. Cuando alguien quiere hablar por teléfono con su jefe, Ud. dice: _____

> "¿Adónde vamos?"
> "Enseguida le pongo con él."
> "Soy empleado del Banco …"
> "Buen provecho, señor."
> "¿De parte de quién?"
> "Necesito el número del …"
> **"Aló."**
> "Me gustaría …"
> "¿Qué van a tomar?"
> "Tengo una cita con …"
> "Hace tres semanas."

6. Cuando le pregunto a Miguel cuál es su trabajo, él me dice: _____

7. Cuando vamos al restaurante, el camarero nos pregunta: _____

8. Cuando le pregunto, "¿Cuánto tiempo hace que Ud. visitó a sus amigos?", Ud. contesta: _____

9. Cuando Ud. llama por teléfono y pregunta si el Sr. Camacho está en su oficina, la recepcionista le pregunta: _____

10. Cuando el camarero trae la comida le dice a Ud.: _____

En el Teléfono

¿Está el Sr. ...?

Buenos días. Soy Alfredo Ribera de la empresa ...

¿Puedo hablar con la Sra. ...?

Llamo desde Chile y me gustaría saber si ...

¿De parte de quién?

Un momento, por favor.

El Sr. ... está en la otra línea.

Lo siento, pero la línea está ocupada.

Ahora le pongo con él.

No está en la oficina en este momento.

Vuelve en una hora.

¿Quiere dejar un recado?

¿Puedo llamar más tarde?

¿Sabe cuándo va a volver?

¿Puedo dejarle un recado?

Por favor, dígale que llamé.

Dígale que voy a estar en mi oficina hasta las tres.

Adiós.

Gracias por su llamada.

Sustantivos:

el contestador la cita
el jefe la fecha
el recado la guía telefónica
 la llamada
 la operadora
 la reunión

Verbos:

asistir llamar
buscar marcar
cancelar necesitar
contestar recibir
dejar visitar
invitar

¿Qué fecha es hoy?
– Hoy es el primero de enero.
  el dos de marzo

¿Cuánto tiempo hace que Ud. empezó
 a trabajar para su empresa?
– Hace un año que empecé a
 trabajar ahí.
 Hace un año que trabajo ahí.

¿Desde cuándo tiene Ud. su coche?
– Lo tengo desde el año pasado.

¿Qué hicieron Uds. ayer?
– Fuimos a la oficina.
 Llegamos a las nueve.
 Dijimos "¡Hola!" a nuestros colegas.
 Estuvimos muy ocupados.
 Asistimos a una reunión.
 Volvimos a casa a las seis.

¿Tiene Ud. algo que hacer hoy?
– Sí, tengo mucho que hacer.
 No, no tengo nada que hacer.

¿Qué tiene en su agenda para mañana?
– Tengo una cita muy importante con …

Expresiones:
A ver.
¡Vaya!
Un momento, por favor.
¿De parte de quién?
Ahora le pongo con ella.
como siempre
a menudo

CAPÍTULO

10

Juliana León trabaja en una oficina cerca del centro de Buenos Aires. Por lo general, ella y algunos amigos almuerzan juntos al mediodía. Pero hoy Juliana no está almorzando con ellos. Fue a la Avenida Santa Fé y ahora está mirando la ropa en la vitrina de una de las muchas boutiques en esa parte de la ciudad. En ese momento, su colega Teresa está saliendo del café de al lado.

Teresa: ¿Juliana? ¿Qué está haciendo aquí?

Juliana: ¡Teresa! Hola, ¿qué tal? Estoy buscando una blusa a juego con mi falda roja, algo para llevar a la oficina. Pero aún no encontré nada. En esta tienda todo es muy caro. ¿No cree Ud.?

Teresa: Sí, ya veo … pero … espere un momento. La semana pasada abrieron un negocio fantástico de ropa de mujer. Se llama *La Princesa* y están ofreciendo unos precios excelentes los primeros días.

Juliana: ¿Sí? ¿Dónde está?

Teresa: En la Avenida Coronel Díaz.

Juliana: ¡Magnífico! Eso es cerca de donde vivo. No puedo ir ahora, pero voy a ir esta tarde inmediatamente después del trabajo. ¡Gracias, Teresa!

Teresa: ¡No hay de qué, Juliana!

EJERCICIO 72

1. Por lo general, a las doce del día Juliana _____.
   a. va a almorzar sola
   b. va a almorzar con algunos amigos
   c. va a la boutique con algunos amigos

2. Juliana está mirando _____.
   a. el café
   b. a un amigo
   c. ropa

3. Teresa está _____.
   a. mirando la ropa en una vitrina
   b. saliendo del café
   c. buscando una blusa de seda

4. *La Princesa* está en _____.
   a. la vitrina
   b. la Avenida Santa Fé
   c. la Avenida Coronel Díaz

5. Juliana quiere _____.
   a. encontrar una blusa para llevar a la oficina
   b. almorzar con sus amigos
   c. entrar en el café

6. En *La Princesa* _____.
   a. todo es muy caro
   b. están ofreciendo precios muy buenos
   c. se puede comprar ropa de hombre

Las amigas **están bebiendo** café.

Están hablando sobre las modas.

yo	estoy	mirando
Ud. / él / ella	está	diciendo
nosotros	estamos	leyendo
Uds. / ellos / ellas	están	trayendo

EJERCICIO 73

Ejemplo: Todos los días, Ricardo **desayuna** y **escucha** la radio.
En este momento _**está desayunando**_ y _**escuchando**_ la radio.

1. Todos los días, el Sr. Montero **hace** llamadas importantes.
   En este momento, _____ una llamada importante.

2. En el metro siempre **leo** el periódico, pero no **fumo**.
   Estoy en el metro. _____ el periódico pero no _____.

3. Cuando la Sra. Linares **compra** zapatos nuevos siempre **busca** un bolso a juego.
   Ahora ella _____ unos zapatos grises y _____ un bolso a juego.

4. A veces a Sara y a Eva les gusta **visitar** el museo para **ver** los cuadros de Goya.
   Hoy _____ el museo y _____ sus cuadros preferidos.

5. Cuando comemos en el restaurante siempre **pagamos** con tarjeta de crédito.
   Ya terminamos la cena y ahora _____ con tarjeta.

Quiero comprar **el coche azul**.
→ Quiero comprar**lo**.
   O: **Lo** quiero comprar.

Vamos a ver **la ropa de hombre**.
→ Vamos a ver**la**.
   O: **La** vamos a ver.

No estamos comprando **los vestidos de algodón**.
→ No estamos comprándo**los**.
   O: No **los** estamos comprando.

EJERCICIO 74

Ejemplo: Voy a comprar **esta camisa**.
            Voy a comprar**la**. / **La** voy a comprar.

1. Petra y yo estamos buscando **las corbatas de seda**.

2. No puedo comprender **ese idioma**.

3. ¿Tiene Ud. que llevar **las cartas** al correo?

4. El Sr. Olivera está mirando **los trajes de rayas**.

5. Voy a leer **el periódico** después de desayunar.

6. Las empleadas están sacando **las blusas** y **las faldas** de la vitrina.

7. ¿Por qué no quisieron Uds. ver **la nueva película francesa**?

8. Teresa no va a encontrar **la chaqueta** en esta tienda.

EJERCICIO 75

Ejemplo: ¿Están __*de*__ moda las camisas de rayas?

       a) a   **b) de**   c) en

1. Nos gusta ir a esa tienda _____ menudo.

      a) en   b) a   c) de

2. ¿Qué talla _____ su hijo?

      a) hace   b) usa   c) pone

3. Creo que el pantalón me _____ un poco grande.

      a) lleva   b) quedo   c) queda

4. A él no le gustan las camisas _____ cuadros.

      a) con   b) de   c) a

5. Pagué con un billete de 500 pesos y el empleado me dio _____.

      a) la propina   b) la vuelta   c) la moneda

6. Lucía y yo vamos _____ compras después del trabajo.

      a) a   b) para   c) de

7. La Srta. Márquez es _____ empleada de la tienda.

      a) buen   b) la mejor   c) el mejor

8. En esta tienda, la ropa _____ hombre no es cara.

      a) de   b) en   c) por

9. ¿_____ de las corbatas italianas quiere Ud. comprar?

      a) Qué   b) Cuánto   c) Cuál

10. Carmen y Marisol están _____ varios vestidos en la vitrina.

       a) mirando   b) para mirando   c) mirándolo

Juliana León está buscando una blusa. Antes de entrar en la tienda *La Princesa*, miró por unos minutos la ropa de la vitrina. Poco después entró.

Empleada: Buenas tardes, señorita. ¿Puedo mostrarle algo?

Srta. León: Me gustaría saber el precio de una blusa que vi en la vitrina. Es ésa … la que está a la izquierda del vestido negro.

Empleada: Es fabulosa, ¿no? Es de seda y la tenemos en azul, rojo y blanco. Esta es la única tienda de Buenos Aires que las tiene. Las recibimos de Italia hace dos días y acabamos de ponerlas en la vitrina.

Srta. León: Hmm … Si son de seda van a ser muy caras, ¿no? ¿Qué precio tienen?

Empleada: Un momento, voy a ver … cuestan 100 pesos. Si prefiere ver algo más barato, puedo mostrarle otras blusas que están rebajadas. Son de algodón y las tenemos en varios colores.

Srta. León: A ver ... Estoy buscando algo a juego con mi falda roja.

La empleada le muestra una blusa blanca.

Empleada: ¿Le gusta ésta en blanco? Va bien con el rojo. ¿O prefiere una en negro?

Srta. León: Hmm ... la blanca me gusta más. A ver, ¿qué talla es?

Empleada: Ah ... es la talla 36.

Srta. León: Hmm, ésa me va a quedar pequeña. Siempre llevo la talla 38. ¿La tiene?

Empleada: Sí, creo que sí ... Aquí tiene, una 38.

Srta. León: ¡Ajá! Ésta me va a quedar bien. ¿Cuánto es?

Empleada: 65 pesos.

Srta. León: ¡Perfecto! Voy a comprarla. ¿Aceptan tarjetas de crédito?

Empleada: Sí, cómo no.

EJERCICIO 76

1. ¿Qué está buscando Juliana?

2. ¿Dónde vio la blusa que le gustó?

3. ¿Cuántas tiendas hay en Buenos Aires que venden estas blusas?

4. ¿Cuánto tiempo hace que *La Princesa* las recibió?

5. ¿De qué son las blusas que están rebajadas?

6. ¿Le queda bien a Juliana la talla 36?

7. ¿Cuál es su talla?

8. ¿Cómo paga Juliana?

> Juliana compró una blusa ayer. La blusa no fue cara.
> La blusa **que Juliana compró ayer** no fue cara.
>
> ————————————
>
> Ésas son las niñas. Ellas me saludaron en la calle.
> Ésas son las niñas **que me saludaron en la calle**.

EJERCICIO 77

Ejemplo: Estos son los guantes de lana. Los compré para Ud.
Estos son los guantes de lana <u>que compré para Ud</u>.

1. Aquí se venden las camisas. Me gustan mucho.

2. ¿Dónde está la vuelta? La trajo Emilio.

3. Allí está la señora argentina. Ella trabaja con mi hermano.

4. No puedo encontrar el recibo. El dependiente me dio el recibo.

5. ¿Cuánto cuesta el coche? Uds. quieren venderlo.

6. Me gusta el traje gris. Está rebajado.

7. Ayer asistimos a una reunión. Duró tres horas y media.

8. El camarero me trajo un bocadillo. ¡No lo pedí!

9. No pude comprender el recado. El señor lo dejó en el contestador.

10. ¡Qué lástima! Ricardo no llegó al cine a tiempo.

Al abrir el periódico, vio un anuncio de *La Princesa*.

EJERCICIO 78

Ejemplo: Inés salió del restaurante. Vio a su amiga.
Al salir del restaurante, Inés vio a su amiga.

1. Uds. salieron del almacén. Tuvieron que hacer una llamada importante.

2. Entramos en esta tienda. Vimos unos trajes que nos gustaron.

3. Ricardo bajó del tren. Compró una revista.

4. Yolanda y yo vimos a Javier. Le preguntamos por su familia.

5. La reunión terminó. Ud. fue enseguida al aeropuerto.

6. Ud. habló con el dependiente. Le pidió el recibo.

7. Javier y Susana volvieron de la tienda. Dijeron que no encontraron nada.

8. Yo llegué a mi casa. Encontré la puerta abierta.

De Compras

¿En qué puedo ayudarle? / ¿Qué desea?
¿Busca algo en particular?
Sí, estoy buscando ... / Me gustaría ver ...

¿Están rebajadas estas camisas?
¿Cuánto cuesta …? / ¿Cuánto vale …?
¿Tiene algo más barato?
¿Los tiene en seda?
¿Los tiene de otro tipo?

¿Cuál es su talla? / ¿Qué talla usa?
¿Cómo le queda?
¿Qué le parece éste?

¿Qué talla es ésta? / Ésta no es mi talla.
Me queda demasiado corta.
Me encanta.

De acuerdo. / Está bien, me la llevo.
¿Cómo le gustaría pagar?
Aquí tiene su recibo.

La ropa:

el pantalón	la blusa
el traje	la camisa
el vestido	la chaqueta
	la corbata
los calcetines	la falda
los guantes	
los zapatos	las medias

¿Qué lleva Ud. hoy?
– Llevo una camisa.

¿Qué clase de camisa lleva Ud.?
– Llevo una camisa de …
    rayas   lana
    cuadros   seda
    un solo color   algodón

¿Quiere Ud. comprar esta corbata?
– Sí, quiero comprarla.
    la quiero comprar

¿Cuál es su talla, señor?
– Uso la talla 40.

¿Es éste el pantalón que le gusta?
– Sí, éste es el pantalón que vi en la vitrina.

¿Cómo le queda el pantalón?
– No me queda ni grande ni pequeño. Me queda bien.

¿Se venden bien las camisas aquí?
– Si, se venden mejor que en otras tiendas.

¿Que está haciendo Ud.?
– Estoy mirando la ropa en la vitrina.
        abriendo la puerta de la tienda
        entrando en la tienda
        hablando con el dependiente
        comprando un traje
        escribiendo un cheque

¿Qué hace al salir de la tienda?
– Al salir, digo "¡Adiós!" al dependiente.

Expresiones:
¿En qué puedo servirle, señora?
¿Qué le parece esta blusa?
Me gusta mucho.
Está de moda.
¿Cuánto vale?
Sólo …
Está rebajada.

CAPÍTULO

11

Nicolás Romero y su familia, que viven en España, quieren ir de vacaciones a América Latina para visitar Venezuela. Hoy el Sr. Romero va a la agencia de viajes.

Sr. Romero: ¡Buenos días! Mi esposa y yo estuvimos aquí hace un par de días pidiendo información sobre viajes organizados a Venezuela. Ayer ella hizo cuatro reservas por teléfono y hoy vengo a pagar los pasajes y recogerlos.

Empleada: Muy bien, señor. ¿A nombre de quién hizo su esposa las reservas?

Sr. Romero: A mi nombre: Nicolás Romero.

Empleada: Un momento ... ahora lo busco en el ordenador. Sí, aquí está. Cuatro pasajes de ida y vuelta en clase turista. Con salida el 27 de mayo y vuelta el 14 de junio.

Sr. Romero: Exactamente. Nos recogerán en el aeropuerto para llevarnos al hotel, ¿verdad?

Empleada: Claro que sí. Todo está incluido en el precio.

Sr. Romero: ¿Y quién vendrá a recogernos?

Empleada: Nuestro representante los esperará al bajar del avión y los llevará al hotel.

Sr. Romero: Perfecto. Entonces, si todo está en orden, le escribiré el cheque ahora mismo.

Empleada: Muy bien. Enseguida le preparo los pasajes.

Sr. Romero: De acuerdo.

EJERCICIO 79

1. ¿Con quién está hablando el Sr. Romero?

2. ¿Adónde irán los Romero?

3. ¿Será un viaje de negocios?

4. ¿Cuándo saldrán?

5. ¿Quién los recogerá en el aeropuerto?

6. ¿Cuándo volverán de su viaje?

7. ¿Cómo pagará el Sr. Romero?

8. ¿Ya preparó la empleada los pasajes?

EL FUTURO

	yo	Ud. él / ella	nosotros	Uds. ellas / ellos
visitar	visitar**é**	visitar**á**	visitar**emos**	visitar**án**
volver	volver**é**	volver**á**	volver**emos**	volver**án**
vivir	vivir**é**	vivir**á**	vivir**emos**	vivir**án**
ir	iré	irá	iremos	irán
hacer	haré	hará	haremos	harán
tener	tendré	tendrá	tendremos	tendrán

(ver las tablas de conjugaciones, pág. 164)

EJERCICIO 80

Ejemplo: María y Carmen **llegaron** a Cali el sábado pasado.
Mañana ellas *__llegarán__* a Bogotá.

1. El mes pasado el Sr. Romero **hizo** un viaje de negocios.
El próximo mes _____ un viaje de turismo.

2. El año pasado los Romero **pasaron** sus vacaciones en Italia.
_____ las próximas vacaciones en Venezuela.

3. ¿Adónde y cuándo **fueron** Uds. de vacaciones la última vez?
¿ _____ al mismo lugar la próxima vez?

4. El año pasado Marta **visitó** a su familia.
Este año _____ a la familia de su esposo.

5. Este año las faldas cortas **están** de moda.
¡El año próximo _____ de moda las faldas largas!

6. ¿**Hicieron** Uds. las maletas ya?
– No, aún no. Las _____ mañana.

7. Anoche Uds. **volvieron** a casa a las 9.
¿A qué hora _____ esta noche?

8. El año pasado no **tuvimos** que conseguir visas porque no **viajamos** al extranjero.
El próximo julio _____ visas porque _____ a Canadá.

EJERCICIO 81

Ejemplo: ¿ _**A**_ nombre de quién hizo las reservaciones?

        a) En   **b) A**   c) Por

1. El sábado, la familia Mendoza sale _____ Caracas.

    a) por   b) a   c) para

2. _____ facturar mi maleta, me dirán a qué puerta de embarque ir.

    a) En   b) Al   c) Para

3. Francisco está _____ vacaciones en Italia.

    a) de   b) por   c) en

4. De vez _____ cuando pasamos el sábado y el domingo en el campo.

    a) en   b) de   c) a

5. Jacinto nunca viajó _____ extranjero.

    a) en el   b) al   c) del

6. ¿Cuándo llegaron _____ Nueva York?

    a) en   b) para   c) a

7. Siempre confirmamos la hora de salida _____ la agencia de viajes.

    a) con   b) por   c) a

8. ¿Necesitaremos una visa para entrar _____ ?

    a) Colombia   b) a Colombia   c) en Colombia

VENEZUELA

¡Venga a visitarnos!
En Venezuela encontrará todo lo que busca ... ¡Y mucho más!

CARACAS / PUERTO LA CRUZ / ISLA DE MARGARITA / CUMANÁ
3 DÍAS • 2 NOCHES

FECHAS DE SALIDA

27 de mayo	17 de julio	4 de agosto
7 de septiembre	22 de octubre	

ITINERARIO

1er día Llegaremos al aeropuerto Simón Bolívar por la tarde. Un autobús nos llevará hasta el Tamanaco, uno de los mejores hoteles de la ciudad. Cena en el hotel.

2º día Desayuno en el hotel. Empezaremos nuestra primera excursión a la ciudad. Visitaremos el Capitolio y el Panteón Nacional. Almorzaremos en el restaurante La Vía Emilia. Por la tarde haremos una excursión a la Plaza Bolívar – el centro histórico de la ciudad.

3er día Por la mañana subiremos a la montaña el Ávila. Desde allí tendremos una vista fantástica de la ciudad y del Caribe. Almuerzo en el hotel. Tarde libre para ir de compras.

Desde Caracas, se pueden hacer excursiones a otras ciudades interesantes del país. Si le gustan las montañas, visite Mérida, una ciudad en los Andes, pero si prefiere las playas, pase varios días en Morrocoy.

Para más información llámenos:
VIAJES CÓNDOR
Tlf. 284.07.29

EJERCICIO 82

1. ¿Dónde cenarán los viajeros el primer día del viaje?

2. ¿Cuándo irán a la Plaza Bolívar?

3. ¿Para qué tendrán tiempo el tercer día por la tarde?

4. ¿Adónde se puede ir desde Caracas?

¡DEJE TODO EN MIS MANOS!

Los Romero ya van a terminar sus vacaciones en Venezuela. Mañana su vuelo saldrá por la noche; entonces, tendrán libre todo el último día. Los Romero quieren ver algo más del país y van a la recepción a pedir información.

Recepcionista:	¿Ya conocieron la parte histórica de la ciudad?
Sra. Romero:	Sí, eso ya lo hicimos el primer día. ¡Nos encantó todo!
Recepcionista:	Entonces, si quieren, pueden hacer un viaje a la Colonia Tovar. No les llevará más de 45 minutos en coche.
Sr. Romero:	¿La Colonia Tovar? ¿Qué es?
Recepcionista:	Es una ciudad de origen alemán del siglo XIX, cuando los emigrantes alemanes llegaron al país.
Sra. Romero:	¡Ah, qué curioso! ¿Podremos hacer una excursión con una agencia?
Recepcionista:	¡Cómo no! Si quieren, puedo llamar a la agencia, pero tendrán que decidir enseguida porque ya va a ser hora de cerrar. Además, no sé si hay asientos libres. Es una excursión muy popular.

Sr. Romero: Si vamos en un viaje organizado seguramente vendrán a recogernos al hotel, ¿verdad?

Recepcionista: ¡Por supuesto! Aquí tiene alguna información. El autobús sale del hotel a las nueve y media y vuelve a las cuatro de la tarde. ¿Qué piensan?

Sr. Romero: Está muy bien. Así tendremos tiempo de cenar antes de salir para el aeropuerto.

Recepcionista: Pues, no hay problema. Haré la reservación con la agencia enseguida y los llamaré a su habitación en menos de 15 minutos para confirmar.

Sr. Romero: Perfecto. ¿Pueden ponerlo en mi cuenta?

Recepcionista: ¡Cómo no, señor! ¡Deje todo en mis manos!

EJERCICIO 83

1. ¿Para qué van los Romero a la recepción?

2. ¿Cuándo visitaron la parte histórica de la ciudad?

3. ¿De qué origen es la Colonia Tovar?

4. ¿Qué tendrán que hacer los Romero si quieren hacer el viaje organizado?

5. ¿Cuánto tiempo dura la excursión a la Colonia Tovar?

6. ¿Qué hará el recepcionista después de hacer la reservación?

Voy a Barcelona. Tengo que comprar un boleto de tren.
→ **Si voy** a Barcelona, **tendré que** comprar un boleto de tren.

No tienen más habitaciones individuales. ¿Qué hace Ud.?
→ **¿Qué hará** Ud. **si no tienen** más habitaciones individuales?

EJERCICIO 84

Ejemplos: Recibo una carta de Gloria. Le **contesto** enseguida.
Si recibo una carta de Gloria, le contestaré enseguida.

Uds. tienen tiempo para viajar. ¿Adónde **van** este año?
¿Adónde irán Uds. este año si tienen tiempo para viajar?

1. El Sr. Vega llama a la recepción. Le **traen** el desayuno a la habitación.

2. Tenemos vacaciones en abril. **Viajamos** a Europa.

3. Ud. no encuentra la maleta. ¿A quién le **pide** ayuda?

4. Abrimos nuestra tienda los sábados. Más clientes **vienen**.

5. Yo paso dos semanas en Venezuela. **Visito** las montañas y las playas.

6. Aurelio y yo pedimos la cuenta ahora. El recepcionista la **prepara** enseguida.

7. Clara sale ahora. ¿A qué hora **llega** a Madrid?

8. Ud. llama a la agencia de viajes. Le **dan** la información que necesita.

9. Pedro no trae el coche. Irene y su hermana no **pueden** ir de excursión.

10. No compramos los pasajes ahora. **Están** más caros en diciembre.

EJERCICIO 85

Ejemplo: ¿**Reservaron** sus habitaciones hace 2 semanas?
  – Sí, hicimos las ___*reservaciones*___ por teléfono.

1. Sra. Casares, Ud. tiene una _____ desde Caracas.
    – ¿Desde Caracas? ¿Quién me puede **llamar**?

2. ¿Ya tomó Ud. su _____?
    – Sí, **desayuné** temprano esta mañana.

3. ¿A qué hora sale Miguel del _____?
    – Sale a las 5, cuando termina de **trabajar**.

4. Este señor necesita _____ . ¿Quién puede **ayudar**le?

5. ¿Adónde fue Ud. de _____?
    – Fui a **comprar** a la nueva tienda de ropa.

6. El vendedor me **mostró** los relojes en el _____ .

7. Anoche **cenamos** en casa de los Vallejo. ¡Prepararon una
    _____ excelente!

8. Mis amigos **viajaron** a Grecia en octubre.
    – ¿Cuántas personas hicieron el _____?

9. No me gusta **beber** té. El café es mi _____ preferida.

10. Estos trajes están **rebajados**. Los _____ la semana pasada.

En el Hotel

Me gustaría reservar una habitación.

¿Para qué día?

¿Para cuántas personas?

¿Por cuántas noches?

¿Una habitación sencilla o doble?

¿Tiene baño / televisión / aire acondicionado?

¿Tiene una reservación?

¿A nombre de quién?

¿Cuándo hizo las reservaciones?

¿Puede llenar esta ficha, por favor?

Firme aquí, por favor.

¿Me puede mostrar su pasaporte?

Su habitación está en el tercer piso.

¿Necesita ayuda con sus maletas?

¿A qué hora cierra el restaurante?

¿Hay servicio de habitaciones?

¿Pueden subir algo de comer a la habitación?

¿Pueden llamarme a las 7.30?

¿Recepción? Le llamo desde la habitación 360 …

¿Pueden subir un desayuno a las 6.30?

Sustantivos:

el ascensor	la agencia de viajes
el baño	la computadora
el campo	la ducha
el consulado	la ficha
el extranjero	la habitación
el mostrador	individual / doble
el pasaje	la maleta
el piso	la montaña
el recepcionista	la planta baja
el turista	la playa
el viaje	la recepción
de negocios	la recepcionista
de turismo	la reservación
organizado	la visa
el viajero	

Verbos:

ayudar	llenar *(una ficha)*
comprobar	pasar
conocer	pensar
conseguir	preparar
facturar	recoger
firmar	viajar

¿Qué hará Ud. mañana?
– Llamaré a la agencia de viajes.
  Haré una reservación para …
  Iré al consulado.
  Conseguiré una visa.
  Haré las maletas.
  Tomaré un taxi para ir al aeropuerto.

¿En qué clase viajará Ud.?
– Viajaré en clase turista.

¿Que hará Ud. si tiene tiempo libre?
– Si tengo tiempo libre, leeré un libro.

¿Cuándo tomará Ud. sus vacaciones?
– Tomaré mis vacaciones en agosto.
  Iré a la playa.
  Estaré de vacaciones por un mes.

¿Cuánto tiempo lleva llegar a la playa?
– Lleva tres horas llegar a la playa.

¿Cuánto tiempo pasará Ud. en las montañas?
– Pasaré una semana en las montañas.

¿Qué piensa hacer Ud. este fin de semana?
– Pienso hacer un viaje al campo.

¿Conoce Ud. a Felipe?
– Sí, lo conozco.

¿Conoce Ud. la ciudad donde vive Felipe?
– No, no la conozco.

Expresiones:
¿Está todo en orden, señor?
¡Buen viaje, señora!

CAPÍTULO

12

Manuel Salgado, mexicano y hombre de negocios, llegó al aeropuerto de Barajas de Madrid a las ocho y cuarto de la mañana. Fue directamente al mostrador de la aerolínea y habló con una de las empleadas.

Sr. Salgado: Buenos días, ¿cuándo sale el próximo vuelo del puente aéreo para Barcelona?

Empleada: Hace cinco minutos que salió un vuelo. El próximo saldrá a las ocho y veinticinco. ¿Ya tiene Ud. su pasaje?

Sr. Salgado: Sí, aquí está.

Empleada: ¿Tiene Ud. equipaje para facturar, Sr. Salgado?

Sr. Salgado: No, llevo sólo equipaje de mano, este maletín.

Empleada: Muy bien, entonces todo está en orden. Ya puede pasar a la sala de espera del puente aéreo.

Sr. Salgado: Pero, ¿no necesito tarjeta de embarque?

Empleada: No la necesita en el servicio del puente aéreo. No tenemos sección de fumadores y tampoco asignamos asientos.

Sr. Salgado: Entonces esperaré cerca de la puerta de embarque porque prefiero tomar un asiento al lado de la ventanilla. Muchas gracias.

Empleada: De nada … y, ¡buen viaje, Sr. Salgado!

Después del vuelo de menos de una hora, el Sr. Salgado llegó al aeropuerto de Barcelona. Enseguida buscó un taxi.

> *Taxista:* ¿Adónde lo llevo, señor?
>
> *Sr. Salgado:* Por favor, vía Augusta número 361. Necesito estar allí a las diez y media.
>
> *Taxista:* Con tantos coches a esta hora va a ser difícil, pero trataré de hacerlo.
>
> *Sr. Salgado:* ¡Hágalo, por favor! Tengo que asistir a una reunión muy importante …

EJERCICIO 86

1. ¿Cómo irá el Sr. Salgado a Barcelona?

2. ¿Cuánto tiempo tendrá que esperar por el próximo vuelo?

3. ¿Facturó equipaje?

4. ¿Por qué quiso esperar cerca de la puerta de embarque?

5. ¿Cuánto tiempo le llevó al Sr. Salgado para llegar a Barcelona?

6. ¿Qué hizo al llegar al aeropuerto?

7. ¿Por qué tiene que llegar el Sr. Salgado a la vía Augusta a las 10.30?

8. ¿Será fácil o difícil estar allí a esa hora?

EJERCICIO 87

Ejemplo: Ayer yo __*leí*__ el periódico y también __***hice***__ el crucigrama.
(*leer / hacer*)

1.   A Luis no le _____ la película que Uds. _____ anoche. (*gustar / ver*)

2.   Los clientes _____ más información sobre esa empresa. (*pedir*)

3.   ¿Les _____ la señora a Uds. donde está la Plaza Mayor? (*decir*)

4.   ¿Cuántos años hace que Ud. _____ su viaje a Rusia? (*hacer*)

5.   Ellas _____ pedir algo típico que yo les _____. (*decidir / recomendar*)

6.   Nosotros _____ nuestro equipaje y después _____ a la sala de espera del puente aéreo. (*facturar / pasar*)

7.   Esa empresa _____ vender 2 millones de radios el año pasado pero no _____. (*querer / poder*)

8.   Isabel Allende _____ una novela sobre sus años en Chile. (*escribir*)

9.   Cuando Cristina y su familia _____ a España, _____ en Gijón. (*ir / estar*)

10.   Lucas y yo _____ que empezar las clases de computadora en julio y las _____ en agosto. (*tener / acabar*)

EJERCICIO 88

Ejemplo: ¿**Abrió** él niño la puerta?
                  Sí, todavía está ___*abierta*___ .

1. Algunos _____ no pudieron comprar sus **pasajes** para el vuelo de las 7.

2. Si Ud. llama y nadie le **contesta,** deje un recado en el _____.

3. El dependiente dice que estos abrigos son **diferentes**, pero yo no veo la _____.

4. ¿Cuál es su vino _____? Yo **prefiero** el vino blanco.

5. Nosotros pagamos la cuenta al camarero. Al _____ a la mesa, él nos trajo la **vuelta**.

6. Los niños _____ sobre todo. Siempre hacen muchas **preguntas**.

7. No me gusta **almorzar** en este restaurante porque no empiezan a servir el _____ hasta la una de la tarde.

8. Siempre **estacionamos** nuestro coche en este _____.

9. Francisco y Juan **llegarán** mañana. Esperamos su _____ por la tarde.

10. Ernesto **fuma** mucho. Tomó asiento en la sección de _____.

¿HAY QUE O ESTÁ PROHIBIDO?

EJERCICIO 89

Ejemplos: No se puede trabajar en este país sin visa.
Está prohibido trabajar en este país sin visa.
Se necesita pan para hacer un bocadillo.
Hay que tener pan para hacer un bocadillo.

1.   No se puede llevar mucho equipaje de mano en los vuelos.

2.   Se necesita una tarjeta de embarque para subir al avión.

3.   Si no tienen más pollo, tendremos que pedir otra cosa.

4.   No se puede usar la computadora del director.

5.   Si nadie contesta, Ud. tiene que volver a llamar.

6.   Los empleados no pueden fumar en las oficinas.

¿PRESENTE O PRETÉRITO?

EJERCICIO 90

Ejemplo: Ayer yo no **_pude_** almorzar con Raúl.   *(poder)*

1.   ¿Qué _____ Uds. conseguir ayer?   *(querer)*

2.   Yo _____ hacer las reservaciones antes de la semana próxima.   *(tener que)*

3.   ¿ _____ Ud. decirme a qué hora sale el vuelo para Puerto Vallarta?   *(poder)*

4.   Parece que Marta no _____ pasar este fin de semana en la playa.   *(querer)*

5.   Nosotros no _____ asistir a la reunión la semana pasada.   *(poder)*

6.   ¿Por qué _____ ellos _____ cancelar su viaje anteayer?   *(tener que)*

El Sr. Salgado y los representantes de la empresa Cortec estuvieron discutiendo de negocios hasta que salieron a almorzar. Después, volvieron a su conferencia hasta las cinco y entonces fijaron la fecha para continuar sus discusiones dentro de cuatro semanas, esta vez en la oficina del Sr. Salgado. Después de apuntar la fecha en su agenda, el Sr. Salgado les dijo adiós a todos. Al salir de la oficina llamó un taxi.

Sr. Salgado:	Tengo que ir al aeropuerto, por favor. Mi vuelo sale a las 6.30. Pero, me gustaría llevarle algo a mi esposa. ¡El problema es que no sé ni qué comprar ni dónde conseguirlo!
Taxista:	¡Ah! Muy cerca del aeropuerto hay una tienda que tiene casi todo tipo de artículos de cuero. Creo que encontrará algo allí.
Sr. Salgado:	¡Magnífico! Lléveme allí.

Al llegar a la tienda, el Sr. Salgado entró y el taxista lo esperó.

Dependiente:	Buenas tardes. ¿Necesita ayuda?

Sr. Salgado:	Sí, por favor. Quiero comprarle algo a mi esposa … algo elegante. ¿Qué puede mostrarme?
Dependiente:	Si su esposa es como la mía, le gustará uno de estos bolsos en la moda italiana.
Sr. Salgado:	Bueno, de modas de mujer yo no sé mucho … pero si Ud. cree que es buena idea …
Dependiente:	¿Qué color le gusta a su esposa?
Sr. Salgado:	Pues, sé que el negro es uno de sus colores preferidos … Mire ése, detrás de esos guantes … ¿Cuánto es?
Dependiente:	¡Muy bien, señor! Éste es uno que rebajamos ayer. ¿Qué le parece?
Sr. Salgado:	¡Fantástico! ¡Creo que a mi esposa le gustará!

EJERCICIO 91

1. ¿Hasta qué hora duró la conferencia?

2. ¿Necesitarán los señores tener otra reunión?

3. ¿Cuándo tendrá lugar la próxima reunión?

4. ¿Qué hizo el Sr. Salgado al salir de la oficina?

5. ¿Adónde lo llevó el taxista?

6. ¿Qué decidió comprar el Sr. Salgado?

EJERCICIO 92

A. *Las vacaciones pasadas*

El mes pasado el Sr. Pisano __*salió*__ *(salir)* de vacaciones. Él y su esposa Claudia

_____ *(ir)* a Puerto Rico. También _____ *(llevar)* a su hijo, Pedro. _____

(tomar) el avión de la mañana y _____ *(llegar)* a San Juan por la tarde. _____

(pasar) cinco días allí y después _____ *(ir)* en coche hasta Ponce, visitando otras

ciudades al mismo tiempo. En Ponce, _____ *(estar)* en un hotel muy cómodo y

_____ *(comprar)* cosas típicas del país. Dos semanas más tarde _____

(volver) a México en avión.

B. *Las próximas vacaciones*

El Sr. Pisano __*saldrá*__ *(salir)* de vacaciones el mes próximo. Él y su esposa Claudia

_____ *(ir)* a Cancún en un viaje organizado pero no _____ *(llevar)* a su hijo.

_____ *(tomar)* el avión de la mañana y _____ *(llegar)* a Cancún unas pocas

horas después. _____ *(pasar)* dos días en esa ciudad y después _____ *(ir)* en

coche hasta Chichén Itzá para ver una de las mejores ciudades mayas. No muy lejos

de allí, en Mérida, _____ *(estar)* en un hotel muy bueno y _____ *(comprar)*

cosas típicas de la ciudad. Dos semanas más tarde _____ *(volver)* a Ciudad de

México en avión.

EJERCICIO 93

Ejemplo: Subimos al quinto piso en el __*ascensor*__ .

1. No sé, pero _____ no tienen más asientos de ventanilla.

2. ¿A qué hora _____ lugar la reunión de mañana?

3. Mis amigos me _____ la comida de su país.

4. ¿Cuándo vamos a _____ la fecha del viaje?

5. Nunca tengo _____ reuniones como Ud.

6. No me gusta este _____ porque tiene las mangas muy largas.

7. Durante la conversación tratamos de hablar de _____ diferentes.

8. _____ decidir para cuándo terminaremos este artículo.

9. Los Díaz empezaron a discutir ayer y _____ hoy están discutiendo sobre el mismo problema.

10. ¿Dónde _____ Ud. los datos que le di ayer?

hay que

asuntos

tantas

apuntó

tendrá

recomendaron

todavía

ascensor

parece que

abrigo

fijar

	antes del verbo		después del verbo
Presente:	**lo** pongo		
Pretérito:	**lo** puse	Infinitivo:	para poner**lo**
Imperativo Neg.:	¡No **lo** ponga!	Imperativo:	¡Pónga**lo**!

	antes o después del verbo	
Gerundio:	**lo** estoy poniendo		estoy poniéndo**lo**
Modales:	**lo** puedo poner	⟷	puedo poner**lo**
ir a + inf.:	**lo** voy a poner		voy a poner**lo**

EJERCICIO 94

Ejemplo: Quiero comprar **un coche**.
Quiero comprarlo. / **Lo quiero comprar.**

1. Ud. va a ver **una película** hoy.

2. Ana está poniendo **los cuchillos, tenedores y cucharas** en la mesa.

3. ¡Tome **un café**!

4. Carlos y Luis van a la escuela cada día para aprender **alemán**.

5. No pude cortar **el pan** con este cuchillo.

6. ¿Sabe Ud. hablar **japonés** bien?

7. Por favor, ¡no traiga **el vino** ahora!

8. Ayer comimos **unos helados deliciosos**.

Sustantivos:

el abrigo
el almuerzo
el asiento
el desayuno
el descuento
el equipaje
el maletín
el pasajero
el puente aéreo

la aerolínea
la cena
la compañía
la conversación
la manga
(corta / larga)
la sección de
fumadores
la tarjeta de
embarque
la ventanilla

Verbos:

apuntar
asignar
deshacer
(la maleta)
decidir
discutir

fijar (una fecha)
pasar (a)
reservar
sonar
tener lugar
tratar de

¿Ya estamos en casa?
– No, todavía no estamos en casa.
Todavía estamos en el coche.

¿Contestan los Vega el teléfono?
– No, no lo contestan. Parece que no
hay nadie en casa.

¿Entonces, qué hará Ud.?
– Volveré a llamar más tarde.

¿Qué hay que hacer hoy?
– Hay que fijar una fecha para la
reunión con el Sr. Romero.

¿Cuánto dinero tiene Ud.?
– Tengo cincuenta pesos.

¿Y la Sra. Reyes?
– Tiene cincuenta pesos también.
Ella tiene tanto dinero como Ud.

¿Y cuánto dinero tiene el Sr. Salgado?
– Tiene cuarenta y ocho pesos.
Tiene casi tanto dinero como yo.

Expresiones:
¿Se puede … aquí?
Lo siento, pero está prohibido.
La cuenta, por favor.
Quédese con el cambio.
¿Qué le parece …?
¡Me parece muy bien!

EJERCICIOS DE COMPOSICIÓN

| Capítulo 7 | ¿Qué hace Ud. en la escuela Berlitz? Escriba 5 o 6 frases para contestar. Use estas palabras: |

aprender   hacer preguntas   porque
una vez / dos veces   siempre   todo
durar   poder   fácil

| Capítulo 8 | Ayer Ud. fue a su restaurante preferido. Escriba 5 o 6 frases. Use estas palabras: |

camarero   pescado y legumbres   pagar
dar el menú   botella de vino   tarjeta de crédito
pedir   me encantó …   dejar una propina

| Capítulo 9 | A. ¿Qué hicieron Ud. y su … el sábado pasado? Escriba 5 o 6 frases. Use estas palabras: |

estar ocupados   después   gustar mucho, porque …
por la mañana   asistir a   más tarde
ir al correo   visitar   una reunión de familia

B. Ud. tiene que cancelar una cita con su colega y le deja recado con su secretaria. Escriba 5 o 6 frases. Use estas palabras:

mi nombre es …   lo siento   me gustaría
tener una cita   cancelar   hacer
a las … *(hora)*   mucho que hacer   poder

Capítulo 10

A. Ud. está en una tienda de ropa. Escriba, en 6 u 8 frases, una conversación entre Ud. y la vendedora de la tienda. Use estas palabras / frases:

¿En qué puedo servirle?	color / talla
estar buscando	preferir
a juego con	quedarle bien / mal
estar rebajado/a	¿Cuánto cuesta?
el más caro / barato	

B. Ud. compró un / una …, pero no le queda bien. Vuelve a la tienda donde lo / la compró. Escriba 5 o 6 frases usando estas palabras:

hace … días	no está de moda	encontrar
comprar	el recibo	el / la mismo/a
devolver	pagar	precio / color

Capítulo 11

A. Ud. va a hacer un viaje al extranjero. Escriba 5 o 6 frases usando el futuro. Use estas palabras:

el mes próximo	consulado	agencia de viajes
viajar	conseguir	clase turista
pasaporte	visa	recoger

B. Ud. está hablando con un amigo de sus últimas vacaciones. Escriba, en el pretérito, 5 o 6 frases usando estas palabras:

de vacaciones	conocer	hotel … cómodo
pasar … días	montaña / playa	la mayoría de
viaje organizado	comida	me gustaría volver

Capítulo 12

A. Los empleados y jefes de su empresa van a tener una reunión, pero no se sabe cuándo. Escriba, en el futuro, 5 o 6 frases usando estas palabras:

todavía no	durante	asuntos importantes
fijar la fecha	tanto … como …	tener lugar
parece que	discutir de	tener que asistir a

B. Ud. necesita hacer una llamada telefónica, pero no tiene el número de teléfono. Escriba 5 o 6 frases usando estas palabras:

páginas amarillas	necesitar	volver a
encontrar	buscar	dejar un recado
marcar el número	línea ocupada	una llamada

RESPUESTAS

Ejercicio 1	1. No, no es francés. 2. Sí, es de Oxford. 3. No, no es mexicana. 4. Sí, es venezolana. 5. No, no es de Chile. 6. Sí, es de México.
Ejercicio 2	1. la 2. Ésta 3. Éste 4. la 5. el 6. Ésta
Ejercicio 3	1. Es francesa. 2. Es brasileño. 3. Es inglesa. 4. Es italiana. 5. Es inglés. 6. Es norteamericano. 7. Es portuguesa. 8. Es alemán. 9. Es canadiense. 10. Es brasileña. 11. Es italiano. 12. Es francés.
Ejercicio 4	1. Es mexicano. 2. No, no es de Acapulco. 3. Es de Monterrey. 4. No, no es colombiana. 5. Es española. 6. Sí, es de Valencia. 7. El Sr. Rivera es colombiano. 8. Es de Bogotá. 9. La Srta. Salinas es de Caracas. 10. Es venezolana.
Ejercicio 5	A. 1. Sí, es una ciudad. 2. Es un país. 3. Sí, es una ciudad de Colombia. 4. Es un país. 5. No, no es un país. 6. Es una ciudad. 7. Es una ciudad. 8. Sí, es una ciudad de Francia. 9. Es una ciudad. 10. Es un país de Europa.

B. 1. es una ciudad de Brasil 2. es una ciudad de Canadá 3. es una ciudad de España 4. es un país de Asia 5. es una ciudad de Alemania 6. es un país de Europa 7. es una ciudad de Portugal 8. es una ciudad de Japón 9. es un país de América del Sur 10. es un país de Europa |
| **Ejercicio 6** | 1. No, no habla francés. 2. Habla inglés muy bien. 3. El Sr. Palacios habla un poco de francés. 4. No habla italiano. 5. Sí, habla un poco de inglés. 6. El Sr. Palacios habla alemán bien. 7. No habla alemán. 8. El Sr. Rivera habla italiano y un poco de alemán. |
| **Ejercicio 7** | 1. de 2. habla 3. es 4. Bien 5. pero 6. ciudad 7. soy 8. mexicano 9. hablo 10. qué 11. Sr. 12. también |
| **Ejercicio 8** | A. 1. ¿Es Perú un país? 2. ¿Es éste el Sr. Marín? 3. ¿Es el Sr. Álvarez el profesor? 4. ¿Habla Ud. un poco de español? 5. ¿Es Londres una ciudad de España? 6. ¿Es argentina la Sra. Velasco? 7. ¿Habla inglés Ricardo? 8. ¿Es Ud. americano? 9. ¿Es Roma un país? 10. ¿Es Ana la alumna?

B. 1. ¿Qué idioma habla la Srta. Alonso? 2. ¿De qué ciudad es Elena? 3. ¿De qué nacionalidad es el Sr. Balado? 4. ¿Quién habla portugués? 5. ¿Qué país es éste? 6. ¿Quién es de España? 7. ¿Qué país es éste? 8. ¿Qué idioma habla Ud.? 9. ¿De qué ciudad es Ud.? 10. ¿De qué nacionalidad es Ud.? |
| **Ejercicio 9** | A. 1. doce 2. quince 3. cinco 4. ocho 5. diecinueve 6. once 7. tres 8. catorce

B. 1. 13 2. 20 3. 18 4. 6 5. 9 6. 2 7. 10 8. 16 |

Ejercicio 10   1. un   2. un   3. una   4. una   5. un   6. una   7. un   8. un   9. una   10. un   11. un   12. una   13. un   14. un   15. una

Ejercicio 11   1. Es un teléfono. El teléfono es blanco.   2. Es una ventana. La ventana es azul.   3. Es un autobús. El autobús es blanco y gris.   4. Es una puerta. La puerta es negra.   5. Es un lápiz. El lápiz es verde.   6. Es un mapa. El mapa es azul y verde.   7. Es un libro. El libro es marrón.   8. Es una moto. La moto es roja.

Ejercicio 12   1. La bicicleta japonesa es blanca.   2. El tren francés es grande.   3. La revista grande es inglesa.   4. El coche italiano es pequeño.   5. La silla blanca es muy pequeña.   6. El cenicero pequeño es negro.

Ejercicio 13   A. 1. es   2. está   3. soy   4. está; está   5. es   6. está; estoy   7. es   8. Está

B. La Sra. Rossi no **está** en Roma y el Sr. Rossi no **está** en Roma tampoco. ¿Dónde **está** el Sr. Rossi? **Está** en Madrid. Madrid no **es** una ciudad de Italia. **Es** una ciudad de España. El Sr. Rossi **es** alumno de español. **Está** en Madrid pero no **está** en la clase. **Está** en la Plaza Mayor.

Ejercicio 14   1. Está sentada.   2. No, no está en la oficina.   3. Está en la clase.   4. Está parada.   5. No, no está debajo de la mesa.   6. Está encima de la mesa.   7. No, no está encima de la mesa.   8. Está en el suelo.

Ejercicio 15   1. La lámpara está encima de la mesa.   2. El libro está encima de la mesa.   3. La taza está encima de la mesa.   4. No, el gato no está encima de la silla.   5. El gato está debajo de la silla.   6. El bolígrafo está encima del libro.   7. Sí, el mapa está en la pared.   8. La papelera está en el suelo.

Ejercicio 16   1. Está aquí, encima de esta mesa.   2. Está ahí, encima de esa mesa.   3. Está ahí, encima de esa mesa.   4. Están aquí, encima de esta mesa.   5. Está aquí, encima de esta mesa.   6. Están ahí, encima de esa mesa.   7. Está aquí, encima de esta mesa.   8. Está ahí, encima de esa mesa.

Ejercicio 17   1. Las escuelas están en México.   2. Estos bolígrafos no son grises.   3. Esos cuadros son grandes.   4. ¿De qué colores son estas alfombras?   5. Los lápices azules no están aquí.   6. Estos ceniceros están encima de las mesas.   7. ¿Dónde están las tazas?   8. Los museos son muy grandes.   9. Esos restaurantes no son chilenos. Son venezolanos.   10. ¿En qué calles están los restaurantes?   11. Estas lámparas son pequeñas.   12. ¿De qué nacionalidades son esas señoritas?   13. Los señores no son de Lima. Son de Caracas.   14. Unas flores son rojas y las otras son blancas.

Ejercicio 18   1. con 2. una 3. El 4. blanco 5. es 6. un

Ejercicio 19   1. La bicicleta es más barata que el coche. 2. La papelera es más cara que el cenicero. 3. La billetera es más cara que el periódico. 4. El vaso es más barato que la taza. 5. La silla es más barata que la mesa. 6. El vaso de vino es más caro que la taza de café.

Ejercicio 20   1. Es su billetera. 2. Son mis fósforos. 3. Son sus gafas. 4. Es su copa. 5. Es mi reloj. 6. Es su dinero.

Ejercicio 21   A. 1. su 2. mis 3. mi 4. sus 5. mis 6. Su

B. 1. de ella 2. del 3. de él 4. de las 5. de la 6. de los

Ejercicio 22   1. tengo 2. Tienen 3. tiene 4. Tengo 5. tenemos; tenemos 6. tiene

Ejercicio 23   1. abre la puerta; abre la puerta; abra la puerta 2. cierro la cartera; cierre la cartera; cierra la cartera 3. pone la taza aquí; pone la taza aquí; pongo la taza aquí 4. toma la llave de su bolso; tomo la llave de mi bolso; tome la llave de su bolso 5. cierra el libro; cierro el libro; cierre el libro 6. ponga el dinero en su bolsillo; pongo el dinero en mi bolsillo; pone el dinero en su bolsillo 7. toma sus libros de la mesa; toma sus libros de la mesa; tome sus libros de la mesa 8. no abre la puerta; no abre la puerta; no abro la puerta

Ejercicio 24   1. Cuánto cuesta 2. Qué 3. sólo 4. De quién 5. De dónde 6. Por favor 7. del suelo 8. Lo siento 9. Qué tipo de 10. mano derecha

Ejercicio 25   1. b. son 2. c. están 3. a. ponemos 4. b. entran 5. b. tengo 6. a. hace

Ejercicio 26   1. Sí, hay algo en la silla. 2. Sí, veo algo en la pared. 3. No hay nada en la caja. 4. Sí, hay alguien sentado en la silla. 5. No, no hay nadie sentado en el suelo. 6. No, no hay nadie delante de la mesa.

Ejercicio 27   1. él 2. ellos 3. ellas 4. nosotros 5. Ud.

Ejercicio 28   1. lo abre; no lo abre 2. las pongo en la mesa; no las pongo en la mesa 3. la cierra; no la cierra 4. los ponen en la mesa; no los ponen en la mesa 5. los veo; no los veo 6. las pone en el bolsillo; no las pone en el bolsillo 7. la cierra; no la cierra 8. lo hablan; no lo hablan

Ejercicio 29   1. esposa 2. madre 3. esposo 4. amigo 5. familia 6. vive 7. hablan 8. padres 9. hijo 10. hijos

Ejercicio 30   1. Viven en San Juan. 2. Trabaja en el Hotel Caribe. 3. Es el 727-3905. 4. Trabaja en la Avenida de las Américas. 5. Se llama Jacques. 6. Es de Bélgica. 7. Sí, tienen una hija. 8. Habla dos idiomas.

Ejercicio 31   1. grande 2. detrás 3. pocas 4. sentados 5. barato 6. izquierda

Ejercicio 32	1. Muy bien, ¿y Ud.? 2. Muchas gracias. 3. De nada. 4. ¡Adiós! 5 No importa. 6. No sé. 7. No, lo siento. 8. No, no veo nada.

Ejercicio 32   1. Muy bien, ¿y Ud.? 2. Muchas gracias. 3. De nada. 4. ¡Adiós! 5 No importa. 6. No sé. 7. No, lo siento. 8. No, no veo nada.

Ejercicio 33   1. Son las diez y diez. 2. Es la una y veinte. 3. Son las dos menos veinte. 4. Son las cuatro y cuarto. 5. Son las seis. 6. Son las nueve menos cinco. 7. Son las cuatro menos cuarto. 8. Es la una menos diez.

Ejercicio 34   1. Son las 4.20 de la tarde. 2. Son las 2.40 de la mañana. 3. Son las 10.40 de la noche. 4. Son las 3.40 de la mañana. 5. Son las 9.40 de la noche. 6. Son las 11.20 de la mañana. 7. Son las 3.20 de la tarde. 8. Son las 10.20 de la mañana.

Ejercicio 35   1. cerca 2. entre 3. enfrente 4. lejos 5. a la derecha 6. detrás

Ejercicio 36   1. No, no está abierta. 2. El restaurante está abierto. 3. Cierra a la una de la mañana. 4. No, no cierra a las 17.30. 5. Cierra a las 17.00. 6. Está abierto 16 horas. 7. Está cerrado por la mañana. 8. Cierra a las dos de la tarde. 9. Abre a las 7.30 de la mañana. 10. El cine está abierto a medianoche.

Ejercicio 37   1. No, no están en la estación de tren. 2. Están en la estación de autobús. 3. Van a Puebla. 4. No, no van a pie. 5. Sí, un autobús llega a la parada. 6. No, no va a Puebla. 7. Viene de Puebla. 8. Sale a las nueve.

Ejercicio 38   1. Sale a las 16.35. 2. Va a Los Ángeles. 3. No, no viene de Acapulco. 4. Viene de Roma. 5. Llega a las 21.30. 6. Viene de Lima. 7. Hay dos aviones para Madrid. 8. Sale a las 8.20. 9. Viene de Buenos Aires. 10. Va para Madrid.

Ejercicio 39   1. llega; llegan; llegue 2. Llegan; Llegamos; Llega 3. salgo; salen; salimos 4. venga; viene; viene 5. vuelve; volvemos; vuelvo 6. voy; va; van

Ejercicio 40   1. Va a estar en el avión. 2. Va a llegar a Caracas a la 1.45 de la mañana. 3. Es el hotel Maracaibo. 4. Va a ir a la oficina del Sr. Montilla. 5. Trabaja en el Banco Sudamericano. 6. Tiene más de 40 oficinas en Venezuela. 7. Va a estar en el aeropuerto a las 3.00 de la tarde. 8. Su hijo Simón y su esposa Marta van a llegar de Panamá.

Ejercicio 41   1. Juan va al cine para ver una película. 2. Los Sres. Morán van a la escuela para hablar con el director. 3. Tomamos el tren en el andén 5 para volver a Bilbao. 4. Voy a Roma para ver el Coliseo. 5. Horacio llega a la oficina a las ocho para trabajar todo el día. 6. Ud. vuelve a su casa para estar con su familia. 7. Carmen toma sus llaves para abrir el cajón de su escritorio. 8. Uds. toman el avión para ir a Bogotá.

Ejercicio 42	1. Vive en Caracas. 2. Vive en un apartamento. 3. Vive con su esposo y sus dos hijos. 4. Pedro es el hijo de Lola Reyes. 5. Toma café a las 6 de la mañana. 6. Después va a la parada de autobús. 7. Trabaja en la empresa Montel. 8. Va al trabajo en autobús. 9. Al mediodía va a una cafetería cerca de la oficina. 10. Vuelve a casa a las 5.10.
Ejercicio 43	1. la mía 2. nuestros 3. El suyo 4. nuestras 5. el mío 6. Los nuestros 7. sus 8. La suya
Ejercicio 44	1. vamos a ver 2. Van a venir 3. va a hacer 4. van a volver 5. voy a ir 6. va a llegar 7. va a costar 8. va a tomar
Ejercicio 45	1. haga 2. van; ver 3. está 4. tiene 5. venimos 6. abre; pone 7. son 8. habla 9. sale; llega 10. cuestan 11. tomamos 12. salgo; cierro 13. pone 14. entran
Ejercicio 46	1. Están en la Estación Central de Santiago de Chile. 2. Va a Rancagua. 3. Hay dos trenes. 4. Uno sale a las tres y el otro a las tres y cuarenta. 5. Quiere boletos de ida y vuelta. 6. Cuestan menos. 7. Los tres boletos cuestan 6.100 pesos. 8. Sale del andén número uno.
Ejercicio 47	1. bajo 2. esperamos 3. paga 4. sacan 5. subimos 6. fuma
Ejercicio 48	1. ¿Sabe Ud. cuánto cuesta el coche? 2. ¿Sabe Ud. cómo se llama el hijo de esa señora? 3. ¿Sabe Ud. de dónde viene el Sr. Montoya? 4. ¿Sabe Ud. hasta qué hora está abierto el supermercado? 5. ¿Sabe Ud. qué día es hoy?
Ejercicio 49	A. 1. Los tomamos 2. La tiene 3. Lo toman 4. No los ve 5. Las saca B. 1. tomarlo 2. meterlas 3. verla 4. fumarlo 5. comprarlos C. 1. ¡Ciérrelo!; ¡No lo cierre! 2. ¡Hágalos!; ¡No los haga! 3. ¡Tómelo!; ¡No lo tome! 4. ¡Póngalas aquí!; ¡No las ponga aquí! 5. ¡Cómprela!; ¡No la compre!
Ejercicio 50	Horizontales: 1. banco 4. De 6. viene 8. mía 9. Ve 10. hace 11. reloj 14. Son 15. los 17. ahí 18. cuadro 21. sin 22. fuma 23. ir 24. su 25. ver a Verticales: 2. antes 3. compro 4. debajo de 5. en 6. va 7. Ese 10. Hola 12. encima 13. París 14. Sí 16. Sr. 19. una 20. otra 21. su 23. -ir
Ejercicio 51	1. Se habla español en veinte países. 2. Empieza con "¡Bueno!" 3. No, no se dice la misma palabra en España. Se dice "¡Diga!" o "¡Dígame!" 4. Se dice "esfero". 5. En Venezuela se dice "bolígrafo". 6. En América Latina se dice "lo veo".

Ejercicio 52   1. ¿Qué idioma se habla en Alemania? 2. ¿A qué hora se abren las tiendas? 3. No se sube al tren sin boleto. 4. ¿Con qué dinero se paga en Italia? 5. ¿Cómo se pronuncian estas palabras en España? 6. Desde aquí se ve toda la ciudad. 7. No se dice "buenos días" por la tarde. 8. Todos los días se habla sobre lo mismo.

Ejercicio 53   1. El Sr. Bustamente me explica la lección. 2. Gerardo y yo le mostramos la ciudad. 3. ¿Qué nos dicen Uds. por la mañana? 4. Rodolfo les lee el artículo. 5. Mi profesor me enseña mucho. 6. ¿No le habla la secretaria en francés? 7. Mi amigo le paga 100 pesos. 8. Nosotros les damos las flores.

Ejercicio 54   1. Va a la escuela Berlitz.   2. Tiene su lección a las siete. 3. Va a la escuela Berlitz dos días a la semana. 4. Aprende francés. 5. Quiere aprender francés porque quiere ir a Francia el año próximo. 6. En su casa, la Sra. Reyes hace los ejercicios y escucha las cintas. 7. No, no habla español en la clase. 8. Sí, el libro tiene los capítulos solamente en francés.

Ejercicio 55   1. queremos 2. tiene que 3. puede 4. tengo que 5. quieren 6. podemos 7. quiere 8. tiene que 9. puedo 10. quieren

Ejercicio 56   1. contesto 2. empieza 3. todo 4. fuera 5. nunca 6. última 7. mismo 8. fácil 9. nueva 10. lento

Ejercicio 57   1. que los sábados siempre sale con sus amigos 2. si aprendemos inglés 3. qué hora es 4. que quiere su café con leche y azúcar 5. qué autobús se toma para ir a Cuzco 6. que no entienden nada si ellos hablan rápido 7. cuándo van a Inglaterra 8. si puede entrar 9. que no sabe lo que ella quiere 10. cuál es mi teléfono

Ejercicio 58   1. David llegó a Bariloche el viernes por la noche. 2. Desayunó pan con mermelada y café con leche. 3. Almorzó en la Isla Victoria. 4. Pagó $ 33,00 por el almuerzo. 5. Cenó con su amiga Juliana.

Ejercicio 59   1. mostró 2. salió 3. leí 4. vivió 5. esperé 6. comió

Ejercicio 60   1. c. Leyó 2. b. después 3. a. a 4. c. de 5. b. bocadillo 6. a. penúltimo 7. b. Buen 8. c. hizo 9. c. tienen 10. a. cuántos

Ejercicio 61   1. Llegó al restaurante poco después de David. 2. Les dio el menú. 3. Pidió una ensalada de tomate y la pasta primavera. 4. No, no pidió lo mismo. 5. Pidió un bistec y una ensalada mixta. 6. Les trajo pan y una botella de vino. 7. Juliana tomó café negro después de comer. 8. No comió nada de postre.

Ejercicio 62 1. ¿Le gusta a Ana trabajar los sábados? 2. Me gustan los postres de este restaurante. 3. Nos gusta almorzar a la una. 4. ¿Le gustan a Ud. las películas italianas? 5. No me gusta pagar con cheques de viajero. 6. ¿Les gustan a Uds. las comidas con mucha sal y pimienta? 7. Nos gusta la música clásica. 8. No les gusta pedir siempre la misma comida.

Ejercicio 63 1. puso 2. vino 3. recomendé 4. hizo 5. pude; tuve 6. dijo 7. volvió 8. quise 9. pidió; trajo 10. dio 11. estuve 12. fue

Ejercicio 64 1. Sí, aún lo lee. 2. Sí, ya le trajo un vaso de agua. 3. No, aún no pidió su comida. 4. Sí, ya la trajo. 5. No, aún no la trajo. 6. No, aún no lo terminó. 7. Sí, aún está en el restaurante. 8. No, aún no la puso en la mesa.

Ejercicio 65 1. Son los vecinos de Nicolás Romero. 2. Estuvieron en Venezuela. 3. Duró dos semanas. 4. Visitaron la capital y el Parque Nacional de Canaima. 5. Llegaron de Chile. 6. Ya volvieron a su país.

Ejercicio 66 salieron; fueron; llegaron; pusieron; entraron; estuvieron; fueron; esperaron; vinieron; llegaron; pudieron; tuvieron

Ejercicio 67 1. Hace un mes que recibió una carta de su amiga. 2. Hace diez días que llamaron a su hermana. 3. Tengo esta cámara desde 1990. 4. Hace tres semanas que fuimos al cine. 5. Lee los periódicos franceses desde el año pasado. 6. Hace cuatro semanas que no fuma un cigarrillo. 7. Estamos aquí desde las 12.30. 8. Hace nueve meses que no tomo vacaciones.

Ejercicio 68 1. Llama al Sr. Sandoval. 2. Lo llama porque tiene que cancelar su cita de mañana por la tarde. 3. Tiene que ir a Londres. 4. No puede verlo el primero porque va a estar muy ocupado. 5. Va a estar libre el tres. 6. Va a estar en Valencia hasta el 6 o el 7. 7. Van a cenar en el restaurante del hotel Continental. 8. Sí, sabe donde está.

Ejercicio 69 1. supimos; canceló 2. asistieron 3. hice; dejé 4. buscaron; encontraron 5. preguntó 6. tuvimos 7. recibieron 8. quisimos 9. contestó; Marcó 10. tuvieron

Ejercicio 70 1. b. que 2. c. del 3. a. Por 4. c. el 5. a. que 6. b. de 7. c. por 8. c. en 9. a. por 10. b. con

Ejercicio 71 1. "Me gustaría …" 2. "Tengo una cita con …" 3. "Necesito el número del …" 4. "¿Adónde vamos?" 5. "Enseguida le pongo con él." 6. "Soy empleado del Banco …" 7. "¿Qué van a tomar?" 8. "Hace tres semanas." 9. "¿De parte de quién?" 10. "Buen provecho, señor."

Ejercicio 72   1. b 2. c 3. b 4. c 5. a 6. b

Ejercicio 73   1. está haciendo 2. Estoy leyendo; estoy fumando 3. está comprando; buscando 4. están visitando; viendo 5. estamos pagando

Ejercicio 74   1. Estamos buscándolas. / Las estamos buscando. 2 No puedo comprenderlo. / No lo puedo comprender. 3. ¿Tiene que llevarlas al correo? / ¿Las tiene que llevar al correo? 4. Está mirándolos. / Los está mirando. 5. Voy a leerlo después de desayunar. / Lo voy a leer después de desayunar. 6. Están sacándolas de la vitrina. / Las están sacando de la vitrina. 7. ¿Por qué no quisieron verla? / ¿Por qué no la quisieron ver? 8. No va a encontrarla en esta tienda. / No la va a encontrar en esta tienda.

Ejercicio 75   1. b. a 2. b. usa 3. c. queda 4. b. de 5. b. la vuelta 6. c. de 7. b. la mejor 8. a. de 9. c. Cuál 10. a. mirando

Ejercicio 76   1. Está buscando una blusa. 2. La vio en la vitrina. 3. Hay solamente una tienda que las vende. 4. Hace dos días que las recibió. 5. Son de algodón. 6. No, no le queda bien. 7. Es la 38. 8. Paga con tarjeta de crédito.

Ejercicio 77   1. Aquí se venden las camisas que me gustan mucho. 2. ¿Dónde está la vuelta que trajo Emilio? 3. Allí está la señora argentina que trabaja con mi hermano. 4. No puedo encontrar el recibo que me dio el dependiente. 5. ¿Cuánto cuesta el coche que Uds. quieren vender? 6. Me gusta el traje gris que está rebajado. 7. Ayer asistimos a una reunión que duró tres horas y media. 8. El camarero me trajo un bocadillo que no pedí. 9. No pude comprender el recado que el señor dejó en el contestador. 10. ¡Qué lástima que Ricardo no llegó al cine a tiempo!

Ejercicio 78   1. Al salir del almacén, Uds. tuvieron que hacer una llamada importante. 2. Al entrar en esta tienda, vimos unos trajes que nos gustaron. 3. Al bajar del tren, Ricardo compró una revista. 4. Al ver a Javier, Yolanda y yo le preguntamos por su familia. 5. Al terminar la reunión, Ud. fue enseguida al aeropuerto. 6. Al hablar con el dependiente, Ud. le pidió el recibo. 7. Al volver de la tienda, Javier y Susana dijeron que no encontraron nada. 8. Al llegar a mi casa, encontré la puerta abierta.

Ejercicio 79   1. Está hablando con la empleada de la agencia de viajes. 2. Irán a Venezuela. 3. No, no será un viaje de negocios. 4. Saldrán el 27 de mayo. 5. El representante de la agencia de viajes los recogerá. 6. Volverán de su viaje el 14 de junio. 7. Pagará con un cheque. 8. No, aún no los preparó.

Ejercicio 80 1. hará 2. Pasarán 3. Irán 4. visitará 5. estarán 6. haremos 7. volverán 8. tendremos; viajaremos

Ejercicio 81 1. c. para 2. b. Al 3. a. de 4. a. en 5. b. al 6. c. a 7. a. con 8. c. en Colombia

Ejercicio 82 1. Cenarán en el Hotel Tomanaco. 2. Irán a la Plaza Bolívar el segundo día por la tarde. 3. Tendrán tiempo para ir de compras. 4. Se puede ir a Mérida y a Morrocoy.

Ejercicio 83 1. Van a la recepción a pedir información. 2. La visitaron el primer día. 3. La Colonia Tovar es de origen alemán. 4. Tendrán que decidir enseguida. 5. Dura seis horas y media. 6. Llamará a los Romero a su habitación para confirmar.

Ejercicio 84 1. Si el Sr. Vega llama a la recepción, le traerán el desayuno a la habitación. 2. Si tenemos vacaciones en abril, viajaremos a Europa. 3. ¿A quién le pedirá Ud. ayuda si no encuentra la maleta? 4. Si abrimos nuestra tienda los sábados, más clientes vendrán. 5. Si yo paso dos semanas en Venezuela, visitaré las montañas y las playas. 6. Si Aurelio y yo pedimos la cuenta ahora, el recepcionista la preparará enseguida. 7. ¿A qué hora llegará Clara a Madrid si sale ahora? 8. Si Ud. llama a la agencia de viajes, le darán la información que necesita. 9. Si Pedro no trae el coche, Irene y su hermana no podrán ir de excursión. 10. Si no compramos los pasajes ahora, estarán más caros en diciembre.

Ejercicio 85 1. llamada 2. desayuno 3. trabajo 4. ayuda 5. compras 6. mostrador 7. cena 8. viaje 9. bebida 10. rebajaron

Ejercicio 86 1. Irá a Barcelona por avión. 2. Tendrá que esperar diez minutos para el próximo vuelo. 3. No, no facturó equipaje. 4. Quiso esperar cerca de la puerta de embarque porque prefiere tomar un asiento al lado de la ventanilla. 5. Le llevó menos de una hora para llegar a Barcelona. 6. Buscó un taxi. 7. Tiene que llegar a la vía Augusta a las 10.30, porque tiene que asistir a una reunión muy importante. 8. Será difícil estar allí a esa hora.

Ejercicio 87 1. gustó; vieron 2. pidieron 3. dijo 4. hizo 5. decidieron; recomendé 6. facturamos; pasamos 7. quiso; pudo 8. escribió 9. fueron; estuvieron 10. tuvimos; acabamos

Ejercicio 88 1. pasajeros 2. contestador 3. diferencia 4. preferido 5. volver 6. preguntan 7. almuerzo 8. estacionamiento 9. llegada 10. fumadores

Ejercicio 89   1. Está prohibido llevar mucho equipaje de mano en los vuelos. 2. Hay que tener una tarjeta de embarque para subir al avión. 3. Si no tienen más pollo, hay que pedir otra cosa. 4. Está prohibido usar la computadora del director. 5. Si nadie contesta, hay que volver a llamar. 6. Está prohibido fumar en las oficinas.

Ejercicio 90   1. quisieron 2. tengo que 3. Puede 4. quiere 5. pudimos 6. tuvieron; que

Ejercicio 91   1. Duró hasta las cinco. 2. Sí, necesitarán tener otra reunión. 3. Tendrá lugar dentro de cuatro semanas. 4. Llamó un taxi. 5. Lo llevó a una tienda que tiene casi todo tipo de artículos de cuero. 6. Decidió comprar un bolso negro.

Ejercicio 92   A. 1. fueron; llevaron; Tomaron; llegaron; Pasaron; fueron; estuvieron; compraron; volvieron

B. irán; llevarán; Tomarán; llegarán; Pasarán; irán; estarán; comprarán; volverán

Ejercicio 93   1. parece que 2. tendrá 3. recomendaron 4. fijar 5. tantas 6. abrigo 7. asuntos 8. Hay que 9. todavía 10. apuntó

Ejercicio 94   1. Va a verla hoy. / La va a ver hoy. 2. Está poniéndolos en la mesa. / Los está poniendo en la mesa. 3. ¡Tómelo! 4. Van a la escuela cada día para aprenderlo. 5. No puede cortarlo con este cuchillo. / No lo pude cortar con este cuchillo. 6. ¿Sabe hablarlo bien? / ¿Lo sabe hablar bien? 7. Por favor, ¡no lo traiga ahora! 8. Ayer los comimos.

TABLAS DE CONJUGACIONES

Estas tablas de conjugaciones incluyen solamente los verbos y las conjugaciones en las personas del verbo que se enseñan en los niveles 1 - 2.

VERBOS REGULARES

VERBOS EN *-AR*

hablar

Gerundio: hablando

PAST TENSE

	Presente	Pretérito	Futuro	Imperativo
yo	hablo	hablé	hablaré	
él/ella/Ud.	habla	habló	hablará	hable
nosotros	hablamos	hablamos	hablaremos	hablemos
ellos/ellas/Uds.	hablan	hablaron	hablarán	hablen

VERBOS EN *-ER*

comer

Gerundio: comiendo

	Presente	Pretérito	Futuro	Imperativo
yo	como	comí	comeré	
él/ella/Ud.	come	comió	comerá	coma
nosotros	comemos	comimos	comeremos	comamos
ellos/ellas/Uds.	comen	comieron	comerán	coman

VERBOS EN *-IR*

vivir

Gerundio: viviendo

	Presente	Pretérito	Futuro	Imperativo
yo	vivo	viví	viviré	
él/ella/Ud.	vive	vivió	vivirá	viva
nosotros	vivimos	vivimos	viviremos	vivamos
ellos/ellas/Uds.	viven	vivieron	vivirán	vivan

CONJUGACIONES

		Presente	**Pretérito**	**Futuro**
almorzar	*yo*	almuerzo	almorcé	almorzaré
Gerundio:	*él/ella/Ud.*	almuerza	almorzó	almorzará
almorzando	*nosotros*	almorzamos	almorzamos	almorzaremos
	ellos/ellas/Uds.	almuerzan	almorzaron	almorzarán
cerrar	*yo*	cierro	cerré	cerraré
Gerundio:	*él/ella/Ud.*	cierra	cerró	cerrará
cerrando	*nosotros*	cerramos	cerramos	cerraremos
	ellos/ellas/Uds.	cierran	cerraron	cerrarán
comprar	*yo*	compro	compré	compraré
Gerundio:	*él/ella/Ud.*	compra	compró	comprará
comprando	*nosotros*	compramos	compramos	compraremos
	ellos/ellas/Uds.	compran	compraron	comprarán
conocer	*yo*	conozco	conocí	conoceré
Gerundio:	*él/ella/Ud.*	conoce	conoció	conocerá
conociendo	*nosotros*	conocemos	conocimos	conoceremos
	ellos/ellas/Uds.	conocen	conocieron	conocerán
conseguir	*yo*	consigo	conseguí	conseguiré
Gerundio:	*él/ella/Ud.*	consigue	consiguió	conseguirá
consiguiendo	*nosotros*	conseguimos	conseguimos	conseguiremos
	ellos/ellas/Uds.	consiguen	consiguieron	conseguirán
dar	*yo*	doy	di	daré
Gerundio:	*él/ella/Ud.*	da	dio	dará
dando	*nosotros*	damos	dimos	daremos
	ellos/ellas/Uds.	dan	dieron	darán
decir	*yo*	digo	dije	diré
Gerundio:	*él/ella/Ud.*	dice	dijo	dirá
diciendo	*nosotros*	decimos	dijimos	diremos
	ellos/ellas/Uds.	dicen	dijeron	dirán
deshacer	*yo*	deshago	deshice	desharé
Gerundio:	*él/ella/Ud.*	deshace	deshizo	deshará
deshaciendo	*nosotros*	deshacemos	deshicimos	desharemos
	ellos/ellas/Uds.	deshacen	deshicieron	desharán

		Presente	Pretérito	Futuro
empezar *Gerundio:* empezando	yo él/ella/Ud. nosotros ellos/ellas/Uds.	empiezo empieza empezamos empiezan	empecé empezó empezamos empezaron	empezaré empezará empezaremos empezarán
encontrar *Gerundio:* encontrando	yo él/ella/Ud. nosotros ellos/ellas/Uds.	encuentro encuentra encontramos encuentran	encontré encontró encontramos encontraron	encontraré encontrará encontraremos encontrarán
entender *Gerundio:* entendiendo	yo él/ella/Ud. nosotros ellos/ellas/Uds.	entiendo entiende entendemos entienden	entendí entendió entendimos entendieron	entenderé entenderá entenderemos entenderán
estar *Gerundio:* estando	yo él/ella/Ud. nosotros ellos/ellas/Uds.	estoy está estamos están	estuve estuvo estuvimos estuvieron	estaré estará estaremos estarán
hacer *Gerundio:* haciendo	yo él/ella/Ud. nosotros ellos/ellas/Uds.	hago hace hacemos hacen	hice hizo hicimos hicieron	haré hará haremos harán
ir *Gerundio:* yendo	yo él/ella/Ud. nosotros ellos/ellas/Uds.	voy va vamos van	fui fue fuimos fueron	iré irá iremos irán
mostrar *Gerundio:* mostrando	yo él/ella/Ud. nosotros ellos/ellas/Uds.	muestro muestra mostramos muestran	mostré mostró mostramos mostraron	mostraré mostrará mostraremos mostrarán
ofrecer *Gerundio:* ofreciendo	yo él/ella/Ud. nosotros ellos/ellas/Uds.	ofrezco ofrece ofrecemos ofrecen	ofrecí ofreció ofrecimos ofrecieron	ofreceré ofrecerá ofreceremos ofrecerán

↗ TO DO / TO MAKE *(handwritten annotation next to hacer)*

CONJUGACIONES

		Presente	**Pretérito**	**Futuro**
pedir	*yo*	pido	pedí	pediré
Gerundio:	*él/ella/Ud.*	pide	pidió	pedirá
pidiendo	*nosotros*	pedimos	pedimos	pediremos
	ellos/ellas/Uds.	piden	pidieron	pedirán
pensar	*yo*	pienso	pensé	pensaré
Gerundio:	*él/ella/Ud.*	piensa	pensó	pensará
pensando	*nosotros*	pensamos	pensamos	pensaremos
	ellos/ellas/Uds.	piensan	pensaron	pensarán
poder	*yo*	puedo	pude	podré
Gerundio:	*él/ella/Ud.*	puede	pudo	podrá
pudiendo	*nosotros*	podemos	pudimos	podremos
	ellos/ellas/Uds.	pueden	pudieron	podrán
poner	*yo*	pongo	puse	pondré
Gerundio:	*él/ella/Ud.*	pone	puso	pondrá
poniendo	*nosotros*	ponemos	pusimos	pondremos
	ellos/ellas/Uds.	ponen	pusieron	pondrán
preferir	*yo*	prefiero	preferí	preferiré
Gerundio:	*él/ella/Ud.*	prefiere	prefirió	preferirá
prefiriendo	*nosotros*	preferimos	preferimos	preferiremos
	ellos/ellas/Uds.	prefieren	prefirieron	preferirán
querer	*yo*	quiero	quise	querré
Gerundio:	*él/ella/Ud.*	quiere	quiso	querrá
queriendo	*nosotros*	queremos	quisimos	querremos
	ellos/ellas/Uds.	quieren	quisieron	querrán
recomendar	*yo*	recomiendo	recomendé	recomendaré
Gerundio:	*él/ella/Ud.*	recomienda	recomendó	recomendará
recomendando	*nosotros*	recomendamos	recomendamos	recomendaremos
	ellos/ellas/Uds.	recomiendan	recomendaron	recomendarán
saber	*yo*	sé	supe	sabré
Gerundio:	*él/ella/Ud.*	sabe	supo	sabrá
sabiendo	*nosotros*	sabemos	supimos	sabremos
	ellos/ellas/Uds.	saben	supieron	sabrán

		Presente	Pretérito	Futuro
salir	*yo*	salgo	salí	saldré
Gerundio:	*él/ella/Ud.*	sale	salió	saldrá
saliendo	*nosotros*	salimos	salimos	saldremos
	ellos/ellas/Uds.	salen	salieron	saldrán
ser ← TO BE	*yo*	soy	fui	seré
Gerundio:	*él/ella/Ud.*	es	fue	será
siendo	*nosotros*	somos	fuimos	seremos
	ellos/ellas/Uds.	son	fueron	serán
servir	*yo*	sirvo	serví	serviré
Gerundio:	*él/ella/Ud.*	sirve	sirvió	servirá
sirviendo	*nosotros*	servimos	servimos	serviremos
	ellos/ellas/Uds.	sirven	sirvieron	servirán
tener	*yo*	tengo	tuve	tendré
Gerundio:	*él/ella/Ud.*	tiene	tuvo	tendrá
teniendo	*nosotros*	tenemos	tuvimos	tendremos
	ellos/ellas/Uds.	tienen	tuvieron	tendrán
traer	*yo*	traigo	traje	traeré
Gerundio:	*él/ella/Ud.*	trae	trajo	traerá
trayendo	*nosotros*	traemos	trajimos	traeremos
	ellos/ellas/Uds.	traen	trajeron	traerán
venir	*yo*	vengo	vine	vendré
Gerundio:	*él/ella/Ud.*	viene	vino	vendrá
viniendo	*nosotros*	venimos	vinimos	vendremos
	ellos/ellas/Uds.	vienen	vinieron	vendrán
ver	*yo*	veo	vi	veré
Gerundio:	*él/ella/Ud.*	ve	vio	verá
viendo	*nosotros*	vemos	vimos	veremos
	ellos/ellas/Uds.	ven	vieron	verán
volver	*yo*	vuelvo	volví	volveré
Gerundio:	*él/ella/Ud.*	vuelve	volvió	volverá
volviendo	*nosotros*	volvemos	volvimos	volveremos
	ellos/ellas/Uds.	vuelven	volvieron	volverán

tra hay ron (handwritten annotation)

AUDIO-
PROGRAMA

Capítulo 1

¡Escuche, por favor!

    Srta. Bertier: *Buenas tardes. Yo soy Sylvie Bertier.*

    Sr. Córdoba: *Hola, soy Javier Córdoba. Soy profesor de español.*

    Srta. Bertier: *Mucho gusto, Sr. Córdoba.*

¡Conteste, por favor!

¿Es profesor el Sr. Córdoba?	Sí, es profesor.
¿Es profesor de inglés?	No, no es profesor de inglés.
Es profesor de español, ¿verdad?	Sí, es profesor de español.

¡Escuche, por favor!

    Srta. Bertier: *¿Es Ud. español, Sr. Córdoba?*

    Sr. Córdoba: *No, soy chileno. ¿Y Ud.?*

    Srta. Bertier: *Yo soy francesa, pero no soy profesora. Soy alumna de español.*

    Sr. Córdoba: *¡Ah, qué bueno!*

¡Conteste, por favor!

¿Es español el Sr. Córdoba?	No, no es español.
¿De qué nacionalidad es?	Es chileno.
¿Es francesa la Srta. Bertier?	Sí, es francesa.
¿Es profesora o alumna?	Es alumna.
¿Es alumna de italiano?	No, no es alumna de italiano.
¿Es alumna de francés o de español?	Es alumna de español.
Perdón, ¿de qué es alumna?	Es alumna de español.

¡Bien! ¡Ahora repita!

1 … 2 … 3 … 4 … 5

1, 2, 3, 4 ,5

6 … 7 … 8 … 9 … 10

6, 7, 8, 9, 10

1, 2, 3, 4, 5, 6, 7, 8, 9, 10

¡Bien! ¡Escuche, por favor!

    Srta. Salinas: *Buenos días, Sr. Campbell. ¿Cómo está?*

    Sr. Campbell: *Muy bien. ¿Y Ud.?*

    Srta. Salinas: *¡Bien, gracias! Sr. Campbell, le presento al Sr. Ibáñez. El Sr. Ibáñez es mexicano, de Monterrey.*

    Sr. Campbell: *Mucho gusto, Sr. Ibáñez.*

¡Ahora conteste!

¿Es mexicano el Sr. Ibáñez?	Sí, es mexicano.
¿Es de Acapulco?	No, no es de Acapulco.
¿De qué ciudad es?	Es de Monterrey.
Y Monterrey es una ciudad de México, ¿verdad?	Sí, es una ciudad de México.

¿Es París una ciudad de México?	No, no es una ciudad de México.
¿Es una ciudad de Francia?	Sí, es una ciudad de Francia.
¿Es Tokio una ciudad de Europa?	No, no es una ciudad de Europa.
¿Es una ciudad de Asia?	Sí, es una ciudad de Asia.
¿Es Inglaterra un país de América?	No, no es un país de América.
Es un país de Europa, ¿verdad?	Sí, es un país de Europa.
¿Y Alemania?	Alemania es un país de Europa también.

Muy bien. ¡Ahora escuche!

Srta. Salinas: *Sr. Campbell, le presento al Sr. Ibáñez. El Sr. Ibáñez es mexicano, de Monterrey.*

Sr. Campbell: *Mucho gusto, Sr. Ibáñez.*

Sr. Ibañez: *Encantado. ¿De qué nacionalidad es Ud., Sr. Campbell?*

Sr. Campbell: *Soy inglés, de Oxford.*

Sr. Ibañez: *¡Pero, … habla español muy bien!*

Sr. Campbell: *Gracias.*

¡Conteste, por favor!

¿Habla español el Sr. Campbell?	Sí, habla español.
Entonces, ¿es español?	No, no es español.
¿De qué nacionalidad es?	Es inglés.
Es de Inglaterra, ¿verdad?	Sí, es de Inglaterra.

Bien. ¡Por favor repita!
El Sr. Campbell es de Inglaterra.
Habla inglés.

El Sr. Ibáñez es de México.	
Habla …	Habla español.
La Sra. García es de España.	
Habla …	Habla español.
El Sr. Tanaka es de Japón.	Habla japonés.
La Sra. Müller no es de Francia.	
No habla…	No habla francés.
El Sr. Álvarez no es de Alemania.	
No …	No habla alemán.
El Sr. Carlton no es de Italia.	No habla italiano.

¡Bien! ¡Ahora repitamos los números!
11 … 12 … 13 … 14 … 15
11, 12, 13, 14, 15
16 … 17 … 18 … 19 … 20
16, 17, 18, 19, 20
11, 12, 13, 14, 15, 16, 17,
18, 19, 20

¡Muy bien! ¡Ahora escuche y repita!

– *Buenas tardes.*
  Yo soy Sylvie Bertier.
– *Hola, soy Javier Córdoba.*
  Soy profesor de español.
– *Mucho gusto, Sr. Córdoba.*
  ¿Es Ud. español, Sr. Córdoba?
– *No, soy chileno.*
  ¿Y Ud.?
– *Yo soy francesa,*
  pero no soy profesora,
  soy alumna de español.
– *¡Ah, qué bueno!*
  * * * *
– *Buenos días, Sr. Campbell.*
  ¿Cómo está?
– *Muy bien. ¿Y Ud.?*
– *¡Bien, gracias!*
  Sr. Campbell, le presento al Sr. Ibáñez.
  El Sr. Ibáñez es mexicano, de Monterrey.
– *Mucho gusto, Sr. Ibáñez.*
– *Encantado.*
  ¿De qué nacionalidad es Ud., Sr. Campbell?
– *Soy inglés, de Oxford.*
– *¡Pero, … habla español muy bien!*
– *Gracias.*

¡Excelente! ¡Éste es el final del capítulo número 1! ¡Muchas gracias y … hasta luego!

Capítulo 2

¡Repita, por favor!
(coche) Esto es un coche.
(avión) Esto es un avión.
(bicicleta) Esto es una bicicleta.
¡Conteste!

(coche)¿Es esto un coche?	Sí, es un coche.
(avión) ¿Es esto un coche?	No, no es un coche.
¿Qué es?	Es un avión.
(bicicleta) ¿Es esto un avión también o una bicicleta?	Es una bicicleta.
(perro grande) ¿Y qué es esto, es un perro?	Sí, es un perro.

Bien. ¡Repita, por favor!
(*perro grande*)   Es un perro.
                  Es un perro grande.
(*perro pequeño*) Es un perro también.
                  Es un perro pequeño.
(*gato*)   Y esto es un gato.
¡Conteste!
(*gato*) ¿Es una bicicleta?   No, no es una bicicleta.
¿Qué es?   Es un gato.
(*perro pequeño*) ¿Y qué es esto?   Es un perro.
¿Es grande el perro?   No, no es grande.
¿Cómo es?   Es pequeño.
(*perro grande*) ¿Es un perro también?   Sí, es un perro también.
¿Es este perro grande o pequeño?   Es grande.
Muy bien.
La Srta. Salinas está sentada en la oficina. Ah, … el teléfono … ¡Escuche!

Srta. Salinas: *¡Aló!*

   Sr. Rossi: *Hola. El Sr. Ibáñez, por favor.*

Srta. Salinas: *Perdón, ¿quién habla?*

   Sr. Rossi: *Soy el Sr Rossi.*

Srta. Salinas: *Sr. Rossi, el Sr. Ibáñez no está aquí. Está en el banco.*

   Sr. Rossi: *Ah, muy bien. Muchas gracias.*

¡Conteste, por favor!
¿Está la Srta. Salinas en el banco?   No, no está en el banco.
¿Dónde está?   Está en la oficina.
¿Está parada o está sentada?   Está sentada.
¿Está el Sr. Ibáñez en la oficina?   No, no está en la oficina.
¿Está en el restaurante o en el banco?   Está en el banco.
Perdón, ¿quién está en el banco?   El Sr. Ibáñez está en el banco.
Bien. Ahora, ¡escuche!

Srta. Salinas: *¡Aló! … Sí, … Sr. Ibáñez … ¡el teléfono! …*

   Sr. Ibáñez: *Gracias. Pero, … ¿dónde está el teléfono?*

Srta. Salinas: *Está ahí, encima de la mesa, debajo del periódico.*

   Sr. Ibáñez: *Ah, muchas gracias.*

Srta. Salinas: *De nada.*

¡Conteste!
¿Está el teléfono debajo de la mesa?   No, no está debajo de la mesa.
¿Dónde está?   Está encima de la mesa.
Pero, está debajo del periódico, ¿no?   Sí, está debajo del periódico.

Está encima de la mesa y debajo
del periódico, ¿verdad?

Sí, está encima de la mesa y debajo
del periódico.

Muy bien. ¡Escuche, por favor!

Srta. Salinas: Sr. Ibáñez, ¿de qué nacionalidad es el Sr. Rossi?

Sr. Ibáñez: ¿El Sr. Rossi? Es italiano.

Srta. Salinas: ¡Ah, italiano! Y … ¿dónde está? ¿Está en Italia?

Sr. Ibáñez: No, no está en Italia. Está aquí, en Caracas.

¡Conteste!

¿Es americano el Sr. Rossi?

No, no es americano.

¿De qué nacionalidad es?

Es italiano.

¿Está en Italia?

No, no está en Italia.

Está en Caracas, ¿verdad?

Sí, está en Caracas.

¿Es Caracas una ciudad o un país?

Es una ciudad.

¿Está en Europa?

No, no está en Europa.

¿Dónde está?

Está en América.

Muy bien. Ahora, ¡repita, por favor!

Caracas – América

Caracas está en América.

Lima – ciudad

Lima es una …

Lima es una ciudad.

Lima – Perú

Lima …

Lima está en Perú.

El Sr. Rossi – Caracas

El Sr. Rossi …

El Sr. Rossi está en Caracas.

El Sr. Álvarez – profesor

El Sr. Álvarez …

El Sr. Álvarez es profesor.

Londres – Inglaterra

Londres – …

Londres está en Inglaterra.

Francia – país

Francia …

Francia es un país.

La Sra. Álvarez – Chile

La Sra. Álvarez está en Chile.

La Srta. Bertier – francesa

La Srta. Bertier es francesa.

¡Excelente! Ahora, ¡escuche!

Srta. Salinas: … ¿dónde está? ¿Está en Italia?

Sr. Ibáñez: No, no está en Italia. Está aquí, en Caracas.

Srta. Salinas: ¿En Caracas? Pero, ¿habla español?

Sr. Ibáñez: Sí, es italiano pero habla español muy bien.

¡Conteste!

¿Habla español el Sr. Rossi?

Sí, habla español.

¿Es el Sr. Rossi italiano o español?

Es italiano.

¡Ah!, es italiano pero habla muy bien español, ¿verdad?

¿Quién habla español muy bien?

¡Excelente! Ahora, ¡escuche y repita!

– *¡Aló!*

– *Hola.*
  El Sr. Ibáñez, por favor.

– *Perdón, ¿quién habla?*

– *Soy el Sr. Rossi.*

– *Sr. Rossi, el Sr. Ibáñez no está aquí.*
  Está en el banco.

– *Ah, muy bien.*
  Muchas gracias.
  * * * *

– *¡Aló! … Sí,…*
  Sr. Ibáñez… ¡el teléfono! …

– *Gracias.*
  Pero, … ¿dónde está el teléfono?

– *Está ahí, encima de la mesa,*
  debajo del periódico.

– *Ah, muchas gracias.*

– *De nada.*
  * * * *

– *Sr. Ibáñez,*
  ¿de qué nacionalidad es el Sr. Rossi?

– *¿El Sr. Rossi?*
  Es italiano.

– *¡Ah, italiano!*
  Y … ¿dónde está?
  ¿Está en Italia?

– *No, no está en Italia.*
  Está aquí, en Caracas.

– *¿En Caracas?*
  Pero, ¿habla español?

– *Sí, es italiano*
  pero habla español muy bien.

¡Excelente! Éste es el final del capítulo número 2.

¡Muchas gracias …y … hasta pronto!

Sí, es italiano pero habla muy bien español.

El Sr. Rossi habla español muy bien.

Capítulo 3

El Sr. David Ibáñez y la Srta. Cristina Salinas están en la oficina en Caracas.

¡Escuche, por favor!

   Srta. Salinas: *Sr. Ibáñez, cierre la puerta, por favor.*

   Srta. Salinas: *Gracias.*

¡Conteste!

¿Cierra la ventana el Sr. Ibáñez?	No, no cierra la ventana.
No cierra el libro tampoco, ¿verdad?	No, no cierra el libro tampoco.
¿Cierra la ventana o la puerta?	Cierra la puerta.
¿Qué hace?	Cierra la puerta.

Bien. ¡Escuche!

    Sr. Ibáñez: *Srta. Salinas, por favor, abra la ventana.*

    Sr. Ibáñez: *Muchas gracias.*

¡Conteste!

¿Cierra la ventana la Srta. Salinas?	No, no cierra la ventana.
¿Qué hace?	Abre la ventana.
¿Cómo? ¿Quién abre la ventana?	La Srta. Salinas abre la ventana.

¡Excelente!

¡Escuche!

   Srta. Salinas: *Sr. Ibáñez, por favor, ponga las llaves en la mesa.*

     Sr. Ibáñez: *¿Estas llaves?*

   Srta. Salinas: *Sí, … gracias.*

¡Conteste!

¿Pone el Sr. Ibáñez su dinero en la mesa?	No, no pone su dinero en la mesa.
¿Pone los papeles o las llaves en la mesa?	Pone las llaves en la mesa.
Perdón, ¿qué pone?	Pone las llaves.
Y, ¿dónde pone las llaves?	Pone las llaves en la mesa.

Muy bien. ¡Escuche!

    Sr. Ibáñez: *Srta. Salinas, tome su bolígrafo del suelo, por favor … Gracias.*

¡Conteste!

¿Pone la Srta. Salinas el bolígrafo en el suelo?	No, no pone el bolígrafo en el suelo.
¿Pone o toma el bolígrafo?	Toma el bolígrafo.
¿Qué toma?	Toma el bolígrafo.
¿De dónde toma el bolígrafo?	Toma el bolígrafo del suelo.

Bien.

Ahora, el Sr. Ibáñez está en un quiosco de periódicos.

¡Escuche!

    Sr. Ibáñez: *¿Perdón, tiene revistas mexicanas?*

> Empleado: No, lo siento, señor, no tengo revistas mexicanas. Pero tengo
> periódicos mexicanos.

¡Conteste!

El Sr. Ibáñez habla con el señor
del quiosco, ¿verdad?

Sí, habla con el señor del quiosco.

¿Tiene el señor del quiosco revistas
mexicanas?

No, no tiene revistas mexicanas.

¿Tiene periódicos mexicanos?

Sí, tiene periódicos mexicanos.

Bien. ¡Escuche!

> Sr. Ibáñez: ¿Qué periódicos mexicanos tiene Ud.?
>
> Empleado: El Excelsior y Novedades.
>
> Sr. Ibáñez: Bueno, deme El Excelsior, por favor. ¿Cuánto es?
>
> Empleado: Son 150 bolívares. Aquí tiene, señor.
>
> Sr. Ibáñez: Gracias.

¡Conteste!

¿Es El Excelsior una revista o un periódico?   Es un periódico.

¿Es un periódico venezolano?   No, no es un periódico venezolano.

Es mexicano, ¿verdad?   Sí, es mexicano.

¿Toma el Sr. Ibáñez el periódico mexicano?   Sí, toma el periódico mexicano.

Perdón, ¿qué toma el Sr. Ibáñez?   Toma el periódico mexicano.

¡Muy bien! ¡Ahora repita, por favor!

El Sr. Ibáñez toma el periódico.

Yo tomo el periódico.

Ud. toma el periódico.

David abre la ventana.

Yo …   Yo abro la ventana.

Nosotros …   Nosotros abrimos la ventana.

Gloria cierra las puertas.

Las secretarias …   Las secretarias cierran las puertas.

Nosotros …   Nosotros cerramos las puertas.

Juan pone el vino en la mesa.

Ud. …   Ud. pone el vino en la mesa.

Yo …   Yo pongo el vino en la mesa.

Ud. entra en el café.

Tomás …   Tomás entra en el café.

Tomás y Roberto …   Tomás y Roberto entran en el café.

¡Muy bien!

Ahora, el Sr. Ibáñez y la Srta. Salinas están en un café. ¡Escuche!

> Sr. Ibáñez: Buenas tardes.
>
> Camarero: Buenas tardes.
>
> Sr. Ibáñez: Un café, por favor.

Camarero: Sí, señor. ¿Negro o con leche?

Sr. Ibáñez: Con leche, por favor.

¡Conteste!

¿Están en la oficina el Sr. Ibáñez y la Srta. Salinas?	No, no están en la oficina.
¿Dónde están, en la calle o en el café?	Están en el café.
¿Toma el Sr. Ibáñez una cerveza?	No, no toma una cerveza.
¿Qué toma?	Toma un café.
¿Toma un café negro o con leche?	Toma un café con leche.

Bien. ¡Ahora escuche, por favor!

Camarero: ¿Y Ud., señorita?

Srta. Salinas: Una taza de té, por favor.

Camarero: ¿Con leche o con limón?

Srta. Salinas: Con limón, por favor.

Camarero: Muy bien …

¡Conteste!

¿Toma la Srta. Salinas un café también?	No, no toma un café.
Toma un té, ¿verdad?	Sí, toma un té.
¿Toma un té con leche o con limón?	Toma un té con limón.

Bien. Ahora, ¡escuche!

Camarero: Aquí tienen. Un café con leche y un té con limón.

Sr. Ibáñez: ¿Cuánto es?

Camarero: Son 130 bolívares, por favor.

¡Conteste!

¿Cuestan 300 bolívares el café y el té?	No, no cuestan 300 bolívares.
¿Cuestan 30 o 130 bolívares?	Cuestan 130 bolívares.
Perdón, ¿cuánto cuestan el café y el té?	Cuestan 130 bolívares.

Muy bien. Ahora, ¡escuche y repita!

– Sr. Ibáñez, cierre la puerta, por favor.
Gracias.

– Srta. Salinas, por favor, abra la ventana.
Muchas gracias.

– Sr. Ibáñez, por favor,
ponga las llaves en la mesa.

– ¿Estas llaves?

– Sí, … gracias.

– Srta. Salinas,
tome su bolígrafo del suelo, por favor.
Gracias.

* * * *

– *Perdón, ¿tiene revistas mexicanas?*
– *No, lo siento, señor,*
  no tengo revistas mexicanas.
  Pero tengo periódicos mexicanos.
– *¿Qué periódicos mexicanos tiene Ud.?*
– *El Excelsior y Novedades.*
– *Bueno, deme El Excelsior, por favor.*
  ¿Cuánto es?
– *Son 150 bolívares.*
  Aquí tiene, señor.
– *Gracias.*
  * * * *
– *Buenas tardes. Un café, por favor.*
– *Sí, señor. ¿Negro o con leche?*
– *Con leche, por favor.*
– *¿Y Ud., señorita?*
– *Una taza de té, por favor.*
– *¿Con leche o con limón?*
– *Con limón, por favor.*
– *Muy bien.*
  Aquí tienen.
  Un café con leche y un té con limón.
– *¿Cuánto es?*
– *Son 130 bolívares, por favor.*

¡Excelente! Éste el el final del capítulo número 3. ¡Muchas gracias y … hasta luego!

Capítulo 4

Cristina Salinas y Alejandro García son alumnos de idiomas en Caracas, Venezuela.
¡Escuche!

Sr. García:	Hola, soy Alejandro García.
Srta. Salinas:	Mucho gusto, Sr. García. Soy Cristina Salinas. ¿Es Ud. venezolano?
Sr. García:	No, soy colombiano.
Srta. Salinas:	¡Ah, colombiano! ¿Vive Ud. aquí en Caracas?
Sr. García:	Sí, vivo y trabajo aquí.
Srta. Salinas:	¡Qué bien!

¡Conteste, por favor!

¿Vive en Venezuela el Sr. García?	Sí, vive en Venezuela.
¿Es venezolano?	No, no es venezolano.
¿De qué nacionalidad es?	Es colombiano.

¿Trabaja en Colombia?	No, no trabaja en Colombia.
¿Dónde trabaja?	Trabaja en Venezuela.
Es colombiano pero vive y trabaja en Venezuela, ¿verdad?	Sí, es colombiano pero vive y trabaja en Venezuela.

¡Muy bien! ¡Ahora escuche!

Srta. Salinas: *¿Y qué hace Ud. en Berlitz, Sr. García?*

Sr. García: *Soy alumno de alemán. Trabajo en una empresa alemana, y mi esposa es alemana.*

Srta. Salinas: *¿Habla su esposa alemán con Ud.?*

Sr. García: *Sí, un poco, pero yo no lo hablo muy bien. Ella habla mucho alemán con mis hijos.*

¡Conteste, por favor!

¿Trabaja el Sr. García en la escuela Berlitz?	No, no trabaja en la escuela Berlitz.
Es alumno, ¿verdad?	Sí, es alumno.
¿Es alumno de inglés o de alemán?	Es alumno de alemán.
¿Trabaja en una empresa española?	No, no trabaja en una empresa española.
Trabaja en una empresa alemana, ¿verdad?	Sí, trabaja en una empresa alemana.

Bien. ¡Ahora, escuche!

Srta. Salinas: *Entonces, ¿hablan alemán sus hijos?*

Sr. García: *Sí, lo hablan muy bien.*

Srta. Salinas: *¡Qué interesante! ¿Y cuántos hijos tiene Ud., Sr. García?*

Sr. García: *Tengo dos, una hija y un hijo.*

¡Conteste!

¿Tiene hijos el Sr. García?	Sí, tiene hijos.
¿Hablan sus hijos cinco idiomas?	No, no hablan cinco idiomas.
¿Cuántos idiomas hablan?	Hablan dos idiomas.
¿Qué idiomas hablan?	Hablan alemán y español.
¿Los hablan bien?	Sí, los hablan bien.

Bien. ¡Ahora, repita!

Los niños hablan dos idiomas bien.
Los hablan bien.

Yo pongo las revistas en la mesa. Las pongo …	Las pongo en la mesa.
El Sr. y la Sra. Álvarez no toman el avión. No lo …	No lo toman.
Juan pone las llaves en el bolsillo. Las …	Las pone en el bolsillo.
Ud. no tiene los lápices.	No los tiene.
La secretaria no cierra la ventana.	No la cierra.
Abrimos el periódico.	Lo abrimos.

Veo el escritorio.	Lo veo.
Las alumnas cierran los libros.	Los cierran.

Muy bien.

Ahora la Srta. Salinas y el Sr. García están en la calle.

¡Escuche!

Srta. Salinas: Perdone, Sr. García, ¿sabe Ud. el número de teléfono de la escuela?

Sr. García: Sí, lo tengo aquí en mi billetera.

Srta Salinas: ¿Cuál es, por favor?

Sr. García: Es el 238-66-95.

Srta Salinas: Muchas gracias.

¡Conteste!

¿Sabe la Srta. Salinas el número de la escuela?	No, no lo sabe.
¿Lo tiene el Sr. García?	Sí, lo tiene.
Perdón, ¿qué tiene el Sr. García?	Tiene el número de la escuela.

Bien. ¡Repita, por favor!

¿Tiene el Sr. García el número?

Sí, lo tiene.

No, no lo tiene.

¿Abrimos el periódico?	
Sí, lo …	Sí, lo abrimos.
No, no lo …	No, no lo abrimos.
¿Hace Alicia la tarea?	
Sí,…	Sí, la hace.
No,…	No, no la hace.
¿Tiene Eva los bolígrafos?	
Sí, …	Sí, los tiene.
No, …	No, no los tiene.
¿Cierra Ud. su coche?	
Sí,…	Sí, lo cierro.
No,…	No, no lo cierro.
¿Abren los alumnos la ventana?	
Sí, …	Sí, la abren.
No, …	No, no la abren.
¿Tiene Ud. la cinta?	
Sí,…	Sí, la tengo.
No,…	No, no la tengo.
¿Ponen los profesores las tazas en la mesa?	
Sí,…	Sí, las ponen en la mesa.
No,…	No, no las ponen en la mesa.

Muy bien. ¡Ahora escuche y repita!

– Hola, soy Alejandro García.
– Mucho gusto, Sr. García.
  Soy Cristina Salinas.
  ¿Es Ud. venezolano?
– No, soy colombiano.
– ¡Ah, colombiano!
  ¿Vive Ud. aquí en Caracas?
– Sí, vivo y trabajo aquí.
– ¡Qué bien!
  ¿Y qué hace Ud. en Berlitz, Sr. García?
– Soy alumno de alemán.
  Trabajo en una empresa alemana,
  y mi esposa es alemana.
– ¿Habla su esposa alemán con Ud.?
– Sí, un poco, pero yo no lo hablo muy bien.
  Ella habla mucho alemán con mis hijos.
– Entonces, ¿hablan alemán sus hijos?
– Sí, lo hablan muy bien.
– ¡Qué interesante!
  ¿Y cuántos hijos tiene Ud., Sr. García?
– Tengo dos, una hija y un hijo.
    * * * *
– Perdone, Sr. García,
  ¿sabe Ud. el número de teléfono de la escuela?
– Sí, lo tengo aquí en mi billetera.
– ¿Cuál es, por favor?
– Es el 238-66-95.
– Muchas gracias.

¡Muy bien! Éste es el fin del capítulo número 4. ¡Muchas gracias … y … hasta pronto!

Capítulo 5

Manuel Salgado habla con una empleada del Museo Amparo en Puebla, México.
¡Escuche!

    Empleada: ¡Bueno! Museo Amparo de Puebla.
    Sr. Salgado: Buenos días, señorita. ¿De qué hora a qué hora está abierto el
                  museo?
    Empleada: Abre a las 10.00 de la mañana y cierra a las 6.00 de la tarde.
¡Conteste!
¿Habla el Sr. Salgado con su esposa?   No, no habla con su esposa.

Habla con una empleada del museo, ¿no?	Sí, habla con una empleada del museo.
¿Abre el museo a las 10.00 de la noche?	No, no abre a las 10.00 de la noche.
¿Cuándo abre?	Abre a las 10.00 de la mañana.
¿Cierra a las 6.00 de la tarde?	Sí, cierra a las 6.00 de la tarde.
Entonces, está abierto de las 10 a las 6, ¿verdad?	Sí, está abierto de las 10 a las 6.

Muy bien. ¡Escuche!

> *Sr. Salgado:* *¿Está abierto mañana?*
>
> *Empleada:* *No, señor. Mañana es martes. Los martes el museo está cerrado.*
>
> *Sr. Salgado:* *Ah, muchas gracias. Adiós.*
>
> *Empleada:* *Adiós.*

¡Conteste!

¿Está abierto todos los días el museo?	No, no está abierto todos los días.
¿Está cerrado los martes?	Sí, está cerrado los martes.
Perdón, ¿los martes está cerrado?	Sí, los martes está cerrado.

Bien. ¡Repita!

El museo cierra los martes.
Los martes está cerrado.

Abre a las 10.	
A las 10 está …	A las 10 está abierto.
La escuela cierra a las 9.	
A las 9…	A las 9 está cerrada.
Los cines no abren por la mañana.	
Por la mañana no …	Por la mañana no están abiertos.
Las oficinas cierran por la noche.	
Por la noche …	Por la noche están cerradas.
El correo no abre los domingos.	
Los domingos …	Los domingos no está abierto.
La estación abre todos los días.	
Todos …	Todos los días está abierta.

¡Muy bien!

El Sr. Salgado está en la estación de autobuses para ir a Puebla.

¡Escuche!

> *Sra. Herrero:* *¡Sr. Salgado! ¡Sr. Salgado!*
>
> *Sr. Salgado:* *¡Hola, Sra. Herrero! ¿Adónde va Ud.?*
>
> *Sra. Herrero:* *Voy a Puebla. ¿Y Ud.?*
>
> *Sr. Salgado:* *Yo también voy a Puebla.*
>
> *Sra. Herrero:* *¡Ah, qué bien!*

¡Conteste!
¿Están el Sr. Salgado y la Sra.
Herrero en la estación?   Sí, están en la estación.

¿Van a Acapulco?   No, no van a Acapulco.

¿Adónde van?   Van a Puebla.

Ah, están en la estación para ir a Puebla,
¿no?   Sí, están en la estación para ir a Puebla.

Perdón, ¿para qué están en la estación?   Están en la estación para ir a Puebla.

Bien. ¡Repita, por favor!
Están en la estación.
Van a Puebla.
Están en la estación para ir a Puebla.
Yo voy al cine. Veo una película.
Voy al cine para ...   Voy al cine para ver una película.

Tomo un taxi. Vuelvo a casa.
Tomo ...   Tomo un taxi para volver a casa.

Ud. va a la estación. Toma el tren.
Va ...   Va a la estación para tomar el tren.

El autobús sale a las cuatro. Va a Puebla. Sale a las cuatro para ir a Puebla.

¡Muy bien! Ahora, ¡escuche!

   Sr. Salgado: *Yo también voy a Puebla.*

  Sra. Herrero: *¡Ah, qué bien! ¿A qué hora sale el autobús?*

   Sr. Salgado: *A las nueve. Ah, aquí viene.*

¡Conteste!
¿Va a salir el autobús a las 10?   No, no va a salir a las 10.

¿Va a salir a las 2 o a las 9?   Va a salir a las 9.

Perdón, ¿a qué hora va a salir?   Va a salir a las 9.

¡Repita!
Todos los días sale a las 9.
Mañana va a salir a las 9.
Todos los días vamos al trabajo.
Mañana vamos a ir ...   Mañana vamos a ir al trabajo.

Manuel vuelve a su casa a las 8.
Mañana va ...   Mañana va a volver a su casa a las 8.

La directora no llega a las 5.
Mañana ...   Mañana no va a llegar a las 5.

Mi amigo viene a mi casa.   Mañana va a venir a mi casa.

Vuelvo a casa a las 8.   Mañana voy a volver a casa a las 8.

Muy bien. ¡Escuche!

  Sra. Herrero: *Perdón, ¿va este autobús a Puebla?*

      Chófer: *¿Puebla? Lo siento, señora, pero este autobús no va a Puebla, viene*
                de allí.

Sr. Salgado: ¿De dónde sale el autobús para Puebla?

Chofer: De la puerta número 3. … ¡Mire! … Ése es su autobús.

Sr. Salgado: ¡Ah, qué bien! ¡Muchas gracias!

¡Conteste!

¿Sale el autobús para Puebla de la puerta número 10?

No, no sale de la puerta número 10.

¿Va a salir de la puerta número 3?

Sí, va a salir de la puerta número 3.

Perdón, ¿qué autobús va a salir de la puerta número 3?

El autobús para Puebla va a salir de la puerta número 3.

Muy bien. Ahora, ¡escuche y repita!

– ¡Bueno! Museo Amparo de Puebla.

– Buenos días, señorita.
  ¿De qué hora a qué hora está abierto el museo?

– Abre a las 10.00 de la mañana
  y cierra a las 6.00 de la tarde.

– ¿Está abierto mañana?

– No, señor.
  Mañana es martes.
  Los martes el museo está cerrado.

– Ah, muchas gracias. Adiós.

– Adiós.

        *   *   *   *

– Sr. Salgado! ¡Sr. Salgado!

– ¡Hola, Sra. Herrero!
  ¿Adónde va Ud.?

– Voy a Puebla.
  ¿Y Ud.?

– Yo también voy a Puebla.

– ¡Ah, qué bien!
  ¿A qué hora sale el autobús?

– A las nueve.
  ¡Ah, aquí viene!

– Perdón, ¿va este autobús a Puebla?

– ¿Puebla? Lo siento, señora,
  pero este autobús no va a Puebla,
  viene de allí.

– ¿De dónde sale el autobús para Puebla?

– De la puerta número 3.
  ¡Mire! … Ése es su autobús.

– ¡Ah, qué bien! ¡Muchas gracias!

¡Excelente! Éste es el fin del capítulo número 5. ¡Muchas gracias y … adiós!

Capítulo 6

Son las dos y media de la tarde. Diana Córdoba y sus hijos están en la Estación Central de Santiago de Chile. Hay pocas personas delante de ellos y no tienen que esperar mucho para hablar con el empleado. ¡Escuche!

Sra. Córdoba: *¡Buenas tardes! ¿A qué hora sale el tren para Rancagua?*

Empleado: *Hay uno a las tres y otro a las tres y cuarenta.*

¡Conteste, por favor!

¿Están la Sra. Córdoba y sus hijos en la estación de tren?	Sí, están en la estación de tren.
¿Están allí para ir a Lima?	No, no están allí para ir a Lima.
¿Para dónde van?	Van para Rancagua.
¿Hay uno o dos trenes para Rancagua?	Hay dos trenes para Rancagua.

Bien. ¡Escuche!

Sra. Córdoba: *Bueno. Vamos a tomar el tren de las tres. ¿Y cuánto cuestan los boletos?*

Empleado: *¿Sencillos o de ida y vuelta?*

Sra. Córdoba: *De ida y vuelta.*

Empleado: *El suyo cuesta 2.500 pesos. Para sus hijos los boletos cuestan 1.800 pesos cada uno.*

Sra. Córdoba: *Perfecto. Entonces deme tres boletos, por favor. Uno para mí y dos para mis hijos.*

¡Conteste!

¿Compra boletos la Sra. Córdoba?	Sí, compra boletos.
¿Los compra sencillos?	No, no los compra sencillos.
¿Qué tipo de boletos compra?	Compra boletos de ida y vuelta.
¿Compra sólo los boletos de los niños?	No, no compra sólo los boletos de los niños.
¿También compra su boleto?	Sí, también compra su boleto.
Perdón, ¿también compra el suyo?	Sí, también compra el suyo.

¡Repita!

La Sra. Córdoba compra su boleto.
Compra el suyo.

Tengo mi boleto.	
Tengo el …	Tengo el mío.
Ud. trae sus periódicos.	
Trae …	Trae los suyos.
Vamos en nuestro coche.	
Vamos …	Vamos en el nuestro.
Juan está en su casa.	
Está …	Está en la suya.
Los niños tienen sus bicicletas.	
Tienen …	Tienen las suyas.

Pagamos por nuestras flores.

Pagamos …   Pagamos por las nuestras.

¡Muy bien! ¡Escuche!

Sra. Córdoba: Entonces deme tres boletos, por favor. Uno para mí y dos para mis hijos.

Empleado: Sí, señora, … aquí los tiene. Son 6.100 pesos, por favor.

Sra. Córdoba: Gracias. ¿De qué andén sale el tren?

Empleado: Del número uno. ¿Sabe Ud. dónde está?

Sra. Córdoba: No, no sé.

Empleado: Salga por esa puerta y doble a la izquierda.

Sra. Córdoba: ¡Muchas gracias!

¡Conteste!

¿Sale el tren del andén número seis?   No, no sale del andén número seis.

¿De qué andén sale?   Sale del andén número uno.

¿Paga la Sra. Córdoba los boletos?   Sí, los paga.

Perdón, ¿quién los paga?   La Sra. Córdoba los paga.

¡Bien!

Ahora, Diana Córdoba va a comprar algo para su esposo Javier.

¡Escuche!

Sra. Córdoba: Buenas tardes. Quisiera comprar un reloj, por favor.

Empleado: ¿Qué tipo de reloj?

Sra. Córdoba: Ése … ¿Puedo verlo?

Empleado: Sí, cómo no.

Sra. Córdoba: ¿Y cuánto cuesta?

Empleado: 100.000 pesos.

¡Conteste!

¿Ve la Sra. Córdoba algo para su esposo?   Sí, ve algo para su esposo.

¿Qué ve?   Ve un reloj.

¿Cuánto cuesta, 100 o 100.000 pesos?   Cuesta 100.000 pesos.

Bien. ¡Escuche!

Sra. Córdoba: ¿Y cuánto cuesta?

Empleado: 100.000 pesos.

Sra. Córdoba: ¿No tiene algo más barato?

Empleado: Sí, pero éste es un reloj muy bueno. Es de Suiza.

Sra. Córdoba: Bueno … está bien, voy a comprarlo.

Empleado: ¿Algo más, señora?

Sra. Córdoba: Nada más, gracias.

¡Conteste!

¿Es el reloj muy bueno o muy malo?   Es muy bueno.

¿Va la Sra. Córdoba a comprar el reloj?   Sí, va a comprar el reloj.
Va a comprarlo, ¿verdad?   Sí, va a comprarlo.
Bien. ¡Repita!
La Sra. Córdoba va a comprar el reloj.
Va a comprarlo.
Voy a tomar el tren.
Voy a …   Voy a tomarlo.
Los empleados van a cerrar las ventanas.
Van …   Van a cerrarlas.
Vamos a hacer los ejercicios.   Vamos a hacerlos.
Ud. va a ver la película.   Va a verla.
Andrés y Juan van a pagar las tarjetas.   Van a pagarlas.
Voy a tomar una cerveza ahora.   Voy a tomarla ahora.
¡Excelente! Ahora ¡escuche y repita!
– *¡Buenas tardes!*
  ¿A qué hora sale el tren para Rancagua?
– *Hay uno a las tres*
  y otro a las tres y cuarenta.
– *Bueno.*
  Vamos a tomar el tren de las tres.
  ¿Y cuánto cuestan los boletos?
– *¿Sencillos o de ida y vuelta?*
– *De ida y vuelta.*
– *El suyo cuesta 2.500 pesos.*
  Para sus hijos
  los boletos cuestan 1.800 pesos cada uno.
– *Perfecto. Entonces deme tres boletos, por favor.*
  Uno para mí
  y dos para mis hijos.
– *Sí, señora, … aquí los tiene.*
  Son 6.100 pesos, por favor.
– *Gracias. ¿De qué andén sale el tren?*
– *Del número uno.*
  ¿Sabe Ud. dónde está?
– *No, no sé.*
– *Salga por esa puerta*
  y doble a la izquierda.
– *¡Muchas gracias!*
  *   *   *   *
– *Buenas tardes.*
  Quisiera comprar un reloj, por favor.

– ¿Qué tipo de reloj?

– Ése … ¿Puedo verlo?

– Sí, cómo no.

– ¿Y cuánto cuesta?

– 100.000 pesos.

– ¿No tiene algo más barato?

– Sí, pero éste es un reloj muy bueno.
  Es de Suiza.

– Bueno … está bien,
  voy a comprarlo.

– ¿Algo más, señora?

– Nada más, gracias.

¡Fantástico! Éste es el final del capítulo número 6. ¡Muchas gracias y … hasta pronto!

Capítulo 7

Son las 6.00 de la tarde. Tomás Camejo y Lola Reyes salen de la oficina después de un largo día de trabajo.

¡Escuche!

  Sr. Camejo: Adiós.

  Sra. Reyes: Hasta mañana, Sr. Camejo. Ahora voy a Berlitz. Tengo una lección de francés a las siete.

¡Conteste!

¿Salen el Sr. Camejo y la Sra. Reyes del cine?	No, no salen del cine.
¿De dónde salen?	Salen de la oficina.
¿Va la Sra. Reyes a su casa?	No, no va a su casa.
¿Adónde va?	Va a Berlitz.
¿Va a trabajar en Berlitz?	No, no va a trabajar en Berlitz.
¿Tiene una lección de inglés o de francés?	Tiene una lección de francés.
¡Ah!, va a Berlitz porque tiene una lección de francés, ¿verdad?	Sí, va a Berlitz porque tiene una lección de francés.

Muy bien. ¡Ahora, escuche!

  Sra. Reyes: Tengo una lección de francés a las siete.

  Sr. Camejo: ¿Y por qué aprende francés?

  Sra. Reyes: Porque quiero ir a Francia el año próximo con mi familia.

¡Conteste!

¿Qué pregunta el Sr. Camejo?	Pregunta por qué aprende francés la Sra. Reyes.
¿Contesta la Sra. Reyes que quiere ir a Inglaterra?	No, no contesta que quiere ir a Inglaterra.

¿Adónde dice que quiere ir?	Dice que quiere ir a Francia.
¿Dice que quiere ir sola?	No, no dice que quiere ir sola.
¿Con quién dice que quiere ir?	Dice que quiere ir con su familia.
¿Dice que quiere ir este año?	No, no dice que quiere ir este año.
¿Dice que quiere ir el año próximo?	Sí, dice que quiere ir el año próximo.
Perdón, ¿cuándo dice que quiere ir?	Dice que quiere ir el año próximo.

Muy bien. ¡Repita!
"Quiero ir el año próximo."
Dice que quiere ir el año próximo.
"Quiero ir con mi familia."

Dice que …	Dice que quiere ir con su familia.

"Vamos a París."

Dice …	Dice que van a París.
"¿Es interesante el museo del Louvre?" Pregunta …	Pregunta si es interesante el museo del Louvre.
"¿Hay restaurantes baratos en París?"	Pregunta si hay restaurantes baratos en París.

Bien. ¡Ahora, escuche!

Sr. Camejo: ¿Cuántas veces a la semana va a clase?
Sra. Reyes: Voy los martes y los jueves por hora y media. Después, en casa, hago los ejercicios y escucho las cintas.
Sr. Camejo: Y ¿qué hacen Uds. en la clase?
Sra. Reyes: Pues, ¡tenemos que hablar francés!

¡Conteste!

¿Va la Sra. Reyes a clase cinco veces a la semana?	No, no va a clase cinco veces a la semana.
¿Cuántas veces a la semana va?	Va dos veces a la semana.
¿Va por 10 horas?	No, no va por 10 horas.
¿Por cuántas horas va?	Va por hora y media.
¿Escucha las cintas en la clase?	No, no las escucha en la clase.
¿Las escucha en la oficina o en la casa?	Las escucha en la casa.
¿Habla francés en clase?	Sí, habla francés en clase.
Tiene que hablar francés, ¿verdad?	Sí, tiene que hablar francés.
Perdón, ¿qué tiene que hablar?	Tiene que hablar francés.

Bien. ¡Ahora, repita!
La Sra. Reyes habla francés.
Tiene que hablar francés.
Hace los ejercicios en la casa.

Tiene que …	Tiene que hacer los ejercicios en casa.

No escucha las cintas en la clase.

No puede…	No puede escuchar las cintas en la clase.

Vamos a Londres el año próximo.
Queremos …   Queremos ir a Londres el año próximo.
Mis amigos no vienen esta tarde.
No pueden …   No pueden venir esta tarde.
Muy bien. ¡Ahora, escuche!

> Sra. Reyes: *El profesor dice algo y nosotros lo repetimos. Después él nos hace preguntas y nosotros le contestamos.*
>
> Sr. Camejo: *¿Siempre en francés?*
>
> Sra. Reyes: *¡Sí, claro! ¡Nunca hablamos español en la clase!*

¡Conteste!

¿Repiten los alumnos en la clase?	Sí, repiten en la clase.
¿Hace preguntas el profesor?	Sí, hace preguntas.
¿Quiénes las contestan?	Los alumnos las contestan.
¿Siempre hablan español?	No, nunca hablan español.
Siempre se habla francés, ¿verdad?	Sí, siempre se habla francés.

Bien. ¡Repita!
Hablan francés.
Se habla francés.
No hablamos inglés.
No se habla…   No se habla inglés.
Repiten mucho.
Se …   Se repite mucho.
No fuman en la clase.
No …   No se fuma en la clase.
Bien. ¡Escuche!

> Sra. Reyes: *¡Nunca hablamos español en la clase!*
>
> Sr. Camejo: *¡Qué bueno! Y, ¿puede Ud. comprender todo?*
>
> Sra. Reyes: *¡Claro que sí! Mire, éste es el libro. ¿Quiere verlo?*
>
> Sr. Camejo: *¡Cómo no! … Pero todo está en francés. ¿Cómo puede comprenderlo? ¿No es muy difícil?*
>
> Sra. Reyes: *No. Con el método Berlitz es fácil aprender un idioma. Si quiere, puede venir conmigo a la escuela y hablar con el director. Él puede explicarle todo.*

¡Conteste!

¿Tiene la Sra. Reyes un libro de alemán?	No, no tiene un libro de alemán.
¿Qué tipo de libro tiene?	Tiene un libro de francés.
¿Quiere verlo el Sr. Camejo?	Sí, quiere verlo.
¿Le muestra ella su libro al Sr. Camejo?	Sí, le muestra su libro al Sr. Camejo.
¿Hay algo en ruso en el libro?	No, no hay nada en ruso.
¿Está todo en francés?	Sí, todo está en francés.

Pero con el método Berlitz es
fácil comprender todo, ¿verdad?

Sí, con el método Berlitz es
fácil comprender todo.

¡Perfecto! ¡Ahora escuche y repita!

– *Adiós.*
– *Hasta mañana, Sr. Camejo.*
  Ahora voy a Berlitz.
  Tengo una lección de francés a las siete.
– *¿Y por qué aprende francés?*
– *Porque quiero ir a Francia el año próximo con mi familia.*
– *¿Cuántas veces a la semana va a clase?*
– *Voy los martes y los jueves por hora y media.*
  Después, en casa,
  hago los ejercicios y escucho las cintas.
– *Y, ¿qué hacen Uds. en la clase?*
– *Pues, ¡tenemos que hablar francés!*
  El profesor dice algo
  y nosotros lo repetimos.
  Después él nos hace preguntas
  y nosotros le contestamos.
– *¿Siempre en francés?*
– *¡Sí, claro!*
  ¡Nunca hablamos español en la clase!
– *¡Ah, qué bueno!*
  Y, ¿puede Ud. comprender todo?
– *¡Claro que sí!*
  Mire, éste es el libro.
  ¿Quiere verlo?
– *¡Cómo no! …*
  Pero todo está en francés.
  ¿Cómo puede comprenderlo?
  ¿No es muy difícil?
– *No. Con el método Berlitz es fácil aprender un idioma.*
  Si quiere, puede venir conmigo a la escuela y hablar con el director.
  Él puede explicarle todo.

¡Excelente! Éste es el final del capítulo número 7. ¡Muchas gracias … y …
hasta la vista!

Capítulo 8

David Ibáñez entró en el restaurante Dos Gardenias y poco después entró su amiga
Juliana León. David la saludó desde el bar. Entonces, un camarero les mostró una
mesa al lado de la ventana y les dio el menú. Ahora, vuelve a la mesa.

¡Escuche!

> Camarero: ¿Qué desean, señores? ¿Les traigo una sopa o una ensalada primero?
>
> Juliana: Pues ... no sé.

¡Conteste!

¿Entró David en un restaurante o en un museo?	Entró en un restaurante.
¿Entró Juliana antes o después?	Entró después.
Entró poco después, ¿verdad?	Sí, entró poco después.
¿La saludó David desde el bar?	Sí, la saludó desde el bar.
¿Les mostró el camarero una mesa al lado de la puerta?	No, no les mostró una mesa al lado de la puerta.
Les mostró una mesa al lado de la ventana, ¿verdad?	Sí, les mostró una mesa al lado de la ventana.
¿Les dio el camarero un periódico?	No, no les dio un periódico.
¿Qué les dio?	Les dio el menú.

Bien. ¡Escuche!

> Camarero: ¿Les traigo una sopa o una ensalada primero?
>
> Juliana: Pues ... no sé. ¿Qué tipo de ensalada tienen?
>
> Camarero: Tenemos ensalada de tomate, ensalada verde y ensalada mixta.
>
> Juliana: Yo prefiero una ensalada de tomate y la pasta primavera.
>
> Camarero: Muy bien.

¡Conteste!

¿Pidió Juliana una ensalada mixta?	No, no pidió una ensalada mixta.
¿Qué tipo de ensalada pidió?	Pidió una ensalada de tomate.
¿Pidió algo más?	Sí, pidió algo más.
Pidió la pasta primavera también, ¿verdad?	Sí, pidió la pasta primavera también.

Bien. ¡Escuche!

> Camarero: ¿Y Ud., señor?
>
> David: A mí tráigame un bistec y una ensalada mixta ... y también tráiganos una botella de vino de Mendoza.
>
> Camarero: Sí, cómo no. Vuelvo enseguida.

¡Conteste!

¿Pidió David también la pasta primavera?	No, no la pidió.
¿Qué pidió David?	Pidió un bistec y una ensalada mixta.
¿Pidió algo para beber?	Sí, pidió algo para beber.
¿Pidió una botella de agua?	No, no pidió una botella de agua.
Pidió una botella de vino, ¿verdad?	Sí, pidió una botella de vino.
¿Qué tipo de vino pidió?	Pidió vino de Mendoza.

Muy bien.

Ahora, ¡repita!
Hoy David pide vino de Mendoza.
Ayer, pidió vino de Mendoza.
Hoy el camarero les da el menú.
Ayer les dio ...   Ayer les dio el menú.
Hoy no pago con tarjeta de crédito.
Ayer ...   Ayer no pagué con tarjeta de crédito.
Hoy bebo café después del postre.
Ayer ....   Ayer bebí café después del postre.
Hoy un amigo me ofrece un café.
Ayer ...   Ayer me ofreció un café.
Hoy no voy a la oficina a las 9.
Ayer ...   Ayer no fui a la oficina a las 9.
Muy bien.
Poco después el camarero les trajo pan y la botella de vino. Diez minutos más tarde volvió con la comida. ¡Escuche!

   Camarero: ... Aquí tienen, señores. ¡Buen provecho!

¡Conteste!
¿Trajo el camarero solamente pan?   No, no trajo solamente pan.
¿Qué más trajo?   Trajo vino también.
¿Volvió con la comida?   Sí, volvió con la comida.
¿Volvió con la comida una hora   No, no volvió con la comida una
después?   hora después.
Volvió con la comida 10 minutos   Sí, volvió con la comida 10 minutos
más tarde, ¿verdad?   más tarde.
Muy bien.
Después de cenar, David llamó al camarero. ¡Escuche!

     David: ¡Camarero, por favor!
  Camarero: Sí, señores, ¿desean algo más?
   Juliana: Sí, para mí un café negro, por favor.
     David: Y para mí un café con leche. ¡Ah! y también tráigame la cuenta.
  Camarero: Muy bien, señor.

¡Conteste!
¿Llamó David al camarero antes de cenar?   No, no lo llamó antes de cenar.
¿Cuándo lo llamó?   Lo llamó después de cenar.
¿Qué tomó, un café negro o un café
con leche?   Tomó un cafe con leche.
¿Le gusta el café con leche?   Sí, le gusta.
Perdón, ¿qué le gusta?   Le gusta el café con leche.

Bien. Ahora, ¡repita!
David toma el café con leche.
Le gusta el café con leche.
Juliana toma el café negro.
Le gusta el …   Le gusta el café negro.
Yo como las papas con huevos.
Me …   Me gustan las papas con huevos.
No como las tapas con jamón.
No …   No me gustan la tapas con jamón.
Quiero cenar a las 6.
Me gusta cenar …   Me gusta cenar a las 6.
Muy bien. ¡Ahora escuche y repita!
− *¿Qué desean, señores?*
  ¿Les traigo una sopa
  o una ensalada primero?
− *Pues … no sé.*
  ¿Qué tipo de ensalada tienen?
− *Tenemos ensalada de tomate,*
  ensalada verde y ensalada mixta …
− *Yo prefiero una ensalada de tomate*
  y la pasta primavera.
− *Muy bien.*
  ¿Y Ud., señor?
− *A mí tráigame un bistec*
  y una ensalada mixta
  y también tráiganos una botella de vino de Mendoza.
− *Sí, cómo no.*
  Vuelvo enseguida.
  Aquí tienen, señores.
  ¡Buen provecho!
− *¡Camarero, por favor!*
− *Sí, señores, ¿desean algo más?*
− *Sí, para mí un café negro, por favor.*
− *Y para mí un café con leche.*
  ¡Ah! y también tráigame la cuenta.
− *Muy bien, señor.*
¡Excelente! Éste es el final del capítulo número 8. ¡Muchas gracias y… hasta luego!

Capítulo 9

¡Escuche!

Nicolás Romero vive en Madrid. Es un hombre de negocios muy ocupado. Ahora son las 10.00 de la mañana. El Sr. Romero fue al banco y cuando salió vio a sus vecinos, los Hurtado.

>   *Sr. Romero:*   *¡Hola, Sres. Hurtado!*
>   *Sr. Hurtado:*   *¡Buenos días, Sr. Romero!*
>   *Sr. Romero:*   *¿Qué tal están? Hace bastante tiempo que no los veo.*

¡Conteste!

¿Fue Nicolás Romero al banco?	Sí, fue al banco.
¿Fue a las 10 o a las 10.30?	Fue a las 10.
¿A quiénes vio cuando salió del banco?	Vio a los Hurtado.
¿Son los Hurtado sus vecinos?	Sí, son sus vecinos.
¿Hace poco o bastante tiempo que no los ve?	Hace bastante tiempo que no los ve.
Perdón, ¿cuánto tiempo hace que no los ve?	Hace bastante tiempo que no los ve.

Bien. ¡Repita!

¿Cuánto tiempo hace que no los ve?
Hace bastante tiempo que no los ve.

¿Cuánto tiempo hace que Ana llegó a este país?	
Hace poco tiempo que …	Hace poco tiempo que llegó a este país.
¿Cuánto tiempo hace que los Hurtado viven en Madrid?	
Hace 5 años …	Hace 5 años que viven en Madrid.
¿Cuánto tiempo hace que el jefe canceló la cita?	
Hace una hora …	Hace una hora que la canceló.
¿Cuánto tiempo hace que hablamos por teléfono?	Hace mucho tiempo que hablamos por teléfono.
Hace mucho tiempo …	

Muy bien ¡Ahora, escuche!

>   *Sr. Romero:* *Hace bastante tiempo que no los veo.*
>   *Sr. Hurtado:* *Es que estuvimos en Venezuela.*
>   *Sr. Romero:* *¡En Venezuela! ¡Vaya! ¿Y cuánto tiempo estuvieron allí?*
>   *Sra. Hurtado:* *Dos semanas. Salimos el día 6 y volvimos el 20 por la noche.*

¡Conteste, por favor!

¿Visitaron los Hurtado Ecuador?	No, no visitaron Ecuador.
¿Qué país visitaron?	Visitaron Venezuela.

¿Estuvieron allí 4 semanas?	No, no estuvieron allí 4 semanas.
Estuvieron 2 semanas, ¿verdad?	Sí, estuvieron 2 semanas.
Perdón, ¿Cuánto tiempo estuvieron?	Estuvieron 2 semanas.

Bien. ¡Ahora, escuche!

> Sr. Romero: ¿Y les gustó? ¿Qué hicieron?
>
> Sr. Hurtado: Nos encantó. Visitamos la capital y también fuimos al Parque Nacional de Canaima, uno de los más grandes del mundo.
>
> Sra. Hurtado: Sí. ¡Venezuela tiene mucho que ver! Pero dos semanas es poco tiempo …

¡Conteste, por favor!

¿Les gustó mucho Venezuela?	Sí, les gustó mucho.
¿Dijeron que Venezuela tiene mucho o poco que ver?	Dijeron que tiene mucho que ver.
¿Fueron al Parque Nacional de Canaima?	Sí, fueron al Parque Nacional de Canaima.
Y también fueron a la capital, ¿verdad?	Sí, también fueron a la capital.

Muy bien. ¡Repita, por favor!
Los Hurtado van a la capital.
Los Hurtado fueron a la capital.

Yo visito un parque grande. Yo …	Yo visité un parque grande.
Nosotros hacemos muchas cosas. Nosotros …	Nosotros hicimos muchas cosas.
Ud. asiste a una reunión. Ud. …	Ud. asistió a una reunión.
Juan y Rosa toman el recado.	Juan y Rosa tomaron el recado.
Yo recibo una llamada.	Yo recibí una llamada.

Muy bien. ¡Escuche!

> Sra. Hurtado: Y Ud. … ¿Qué tal? ¿Cómo va todo?
>
> Sr. Romero: Como siempre, con mucho trabajo. La semana pasada llegaron unos clientes de Chile y estuvimos muy ocupados. Pero ya todo acabó. Volvieron a Chile ayer por la tarde. ¡Huy! Tengo que volver a la oficina. Me esperan para una reunión en media hora.
>
> Sra. Hurtado: Bueno. ¿Por qué no cenamos un día y así tenemos más tiempo para hablar?
>
> Sr. Romero: Me gustaría mucho.

¡Por favor, conteste!

¿Siempre tiene el Sr. Romero mucho trabajo?	Sí, siempre tiene mucho trabajo.
¿Por qué estuvo muy ocupado la semana pasada?	Porque llegaron unos clientes.
¿Llegaron de México?	No, no llegaron de México.

¿De dónde llegaron?   Llegaron de Chile.

Y volvieron a Chile ayer por la tarde,
¿verdad?   Sí, volvieron a Chile ayer por la tarde.

Bien. ¡Escuche!

Sr. Hurtado: *¿Tiene algo que hacer este próximo domingo? Venga con su esposa a nuestra casa.*

Sr. Romero: *A ver … ¿este próximo domingo? … Es el cinco, ¿no? … Sí, perfecto, estoy libre.*

Sr. Hurtado: *¿Qué tal a las ocho?*

Sr. Romero: *Estupendo, hasta el domingo. Adiós.*

Sr. Hurtado: *Hasta el domingo.*

¡Conteste!

¿Quieren los Hurtado invitar al Sr.
Romero a su casa?   Sí, quieren invitarlo a su casa.

¿Qué día quieren invitarlo?   Quieren invitarlo el domingo próximo.

¿Tiene algo que hacer ese día
el Sr. Romero?   No, no tiene nada que hacer.

Entonces, va a estar libre ese día, ¿verdad?   Sí, va a estar libre ese día.

Muy bien. Ahora, ¡escuche y repita!

– *¡Hola, Sres. Hurtado!*

– *¡Buenos días, Sr. Romero!*

– *¿Qué tal están?*
  Hace bastante tiempo que no los veo.

– *Es que estuvimos en Venezuela.*

– *¡En Venezuela! ¡Vaya!*
  ¿Y cuánto tiempo estuvieron allí?

– *Dos semanas.*
  Salimos el día 6
  y volvimos el 20 por la noche.

– *¿Y les gustó? ¿Qué hicieron?*

– *Nos encantó.*
  Visitamos la capital
  y también fuimos al Parque Nacional de Canaima,
  uno de los más grandes del mundo.

– *Sí. ¡Venezuela tiene mucho que ver!*
  Pero dos semanas es poco tiempo …
  Y Ud. … ¿Qué tal?
  ¿Cómo va todo?

– *Como siempre, con mucho trabajo.*
  La semana pasada llegaron unos clientes de Chile
  y estuvimos muy ocupados.

Pero ya todo acabó.
Volvieron a Chile ayer por la tarde.
¡Huy! Tengo que volver a la oficina.
Me esperan para una reunión en media hora.

– *Bueno. ¿Por qué no cenamos un día*
  y así tenemos más tiempo para hablar?
– *Me gustaría mucho.*
– *¿Tiene algo que hacer este próximo domingo?*
  Venga con su esposa a nuestra casa.
– *A ver … ¿este próximo domingo? …*
  Es el cinco, ¿no? …
  Sí, perfecto, estoy libre.
– *¿Qué tal a las ocho?*
– *Estupendo, hasta el domingo. Adiós.*
– *Hasta el domingo.*

¡Muy bien! Éste es el final del capítulo número 9. ¡Muchas gracias … y … hasta pronto!

Capítulo 10

Juliana León está buscando una blusa. Antes de entrar en la tienda La Princesa, miró por unos minutos la ropa de la vitrina. Poco después entró.
¡Escuche!

Empleada:	*Buenas tardes, señorita. ¿Puedo mostrarle algo?*
Srta. León:	*Me gustaría saber el precio de una blusa que vi en la vitrina. Es ésa … la que está a la izquierda del vestido negro.*
Empleada:	*Es fabulosa, ¿no? Es de seda y la tenemos en azul, rojo y blanco. Ésta es la única tienda de Buenos Aires que las tiene. Las recibimos de Italia hace dos días y acabamos de ponerlas en la vitrina.*

¡Conteste!

¿Entró Juliana en una farmacia?	No, no entró en una farmacia.
¿Dónde entró?	Entró en una tienda de ropa.
¿Está hablando con un empleado o con una empleada?	Está hablando con una empleada.
¿Pregunta Juliana el precio de una blusa?	Sí, pregunta el precio de una blusa.
¿Busca una blusa o una falda?	Busca una blusa.
Juliana está buscando una blusa, ¿verdad?	Sí, está buscando una blusa.

Bien. ¡Ahora repita!
Busca una blusa.
Está buscando una blusa.
Habla con la empleada.

Está …	Está hablando con la empleada.

Pregunta el precio de la blusa.
Está …

Está preguntando el precio de la blusa.

Entramos en la tienda ahora..
Estamos …

Estamos entrando en la tienda ahora.

Muy bien. Ahora, ¡escuche!

Empleada: *Las recibimos de Italia hace dos días y acabamos de ponerlas en la vitrina.*

Srta. León: *Hmm … Si son de seda van a ser muy caras, ¿no? ¿Qué precio tienen?*

Empleada: *Un momento, voy a ver … cuestan 100 pesos.*

¡Conteste!

¿Cuestan las blusas 150 pesos?

No, no cuestan 150 pesos.

¿Cuánto cuestan?

Cuestan 100 pesos.

¿Hace un mes que recibieron las blusas?

No, no hace un mes que las recibieron.

Hace dos días que las recibieron, ¿verdad?

Sí, hace dos días que las recibieron.

¿Las recibieron de Francia o de Italia?

Las recibieron de Italia.

Bien. ¡Escuche!

Empleada: *Si prefiere ver algo más barato, puedo mostrarle otras blusas que están rebajadas. Son de algodón y las tenemos en varios colores.*

Srta. León: *A ver … Estoy buscando algo a juego con mi falda roja.*

Empleada: *¿Le gusta ésta en blanco? Va bien con el rojo. ¿O prefiere una en negro?*

Srta. León: *Hum … La blanca me gusta más.*

¡Conteste!

¿Tiene la empleada otras blusas que están rebajadas?

Sí, tiene otras blusas que están rebajadas.

¿Son de seda o de algodón?

Son de algodón.

¿Las tiene sólo en blanco o en varios colores?

Las tiene en varios colores.

¿Qué blusa le gusta más a Juliana, la negra o la blanca?

La blanca le gusta más.

Bien. ¡Escuche!

Srta. León: *… La blanca me gusta más. A ver, ¿qué talla es?*

Empleada: *Ah, … es la talla 36.*

Srta. León: *Hum, ésa me va a quedar pequeña. Siempre llevo la talla 38. ¿La tiene?*

Empleada: *Sí, creo que sí … aquí tiene, una 38.*

Srta. León: *¡Ajá! Ésta me va a quedar bien. ¿Cuánto es?*

Empleada: *65 pesos.*

Srta. León: *¡Perfecto! Voy a comprarla. ¿Aceptan tarjetas de crédito?*

Empleada: *Sí, cómo no.*

¡Conteste!

¿Pide Juliana la blusa blanca?

Es la que le gusta más, ¿no?

¿Le queda bien a Juliana la talla 36?

¿Le queda bien la talla 38 o la 40?

Entonces, la talla que compró
es la 38, ¿verdad?

Muy bien. ¡Repita, por favor!

Compró la talla 38.

La talla que compró es la 38.

Compró una blusa de algodón.

La blusa que …

Compró un coche alemán.

El coche …

Vio una chaqueta negra.

La …

Lleva una corbata nueva.

La …

Llegó un vuelo de Madrid.

Perfecto. Ahora, ¡escuche y repita!

Sí, pide la blusa blanca.

Sí, es la que le gusta más.

No, no le queda bien la talla 36.

Le queda bien la 38.

Sí, la talla que compró es la 38.

La blusa que compró es de algodón.

El coche que compró es alemán.

La chaqueta que vio es negra.

La corbata que lleva es nueva.

El vuelo que llegó es de Madrid.

– *Buenas tardes, señorita.*
  ¿Puedo mostrarle algo?

– *Me gustaría saber el precio de una blusa*
  que vi en la vitrina.
  Es ésa …
  la que está a la izquierda del vestido negro.

– *Es fabulosa, ¿no?*
  Es de seda
  y la tenemos en azul, rojo y blanco.
  Esta es la única tienda de Buenos Aires que las tiene.
  Las recibimos de Italia hace dos días
  y acabamos de ponerlas en la vitrina.

– *Hum … Si son de seda van a ser muy caras, ¿no?*
  ¿Qué precio tienen?

– *Un momento, voy a ver …*
  cuestan 100 pesos.
  Si prefiere ver algo más barato,
  puedo mostrarle otras blusas que están rebajadas.
  Son de algodón
  y las tenemos en varios colores.

– *A ver … Estoy buscando algo a juego con mi falda roja.*

– ¿Le gusta ésta en blanco?
   Va bien con el rojo.
   ¿O prefiere una en negro?
– Hum … La blanca me gusta más.
   A ver, ¿qué talla es?
– Ah, … es la talla 36.
– Hum, ésa me va a quedar pequeña.
   Siempre llevo la talla 38.
   ¿La tiene?
– Sí, creo que sí …
   Aquí tiene, una 38.
– ¡Ajá! Ésta me va a quedar bien.
   ¿Cuánto es?
– 65 pesos.
– Perfecto. Voy a comprarla.
   ¿Aceptan tarjetas de crédito?
– Sí, cómo no.

¡Excelente! Éste es el final del capítulo número 10. ¡Muchas gracias y … hasta pronto!

Capítulo 11

Nicolás Romero y su familia, que viven en España, quieren ir de vacaciones a América Latina para visitar Venezuela. Hoy el Sr. Romero va a la agencia de viajes.
¡Escuche!

Sr. Romero: *¡Buenos días! Mi esposa y yo estuvimos aquí hace un par de días pidiendo información sobre viajes organizados a Venezuela. Ayer ella hizo cuatro reservas por teléfono y hoy vengo a pagar los pasajes y recogerlos.*

Empleada: *Muy bien, señor.*

¡Conteste!

¿Quieren el Sr. Romero y su familia visitar Europa?	No, no quieren visitar Europa.
¿Qué quieren visitar, Asia o América Latina?	Quieren visitar América Latina.
¿A qué país van a ir?	Van a ir a Venezuela.
¿Llamó la Sra. Romero a una agencia de viajes?	Sí, llamó a una agencia de viajes.
¿Hizo reservas por teléfono?	Sí, hizo reservas por teléfono.
¿Las hizo para ir a Francia?	No, no las hizo para ir a Francia.
Las hizo para ir a Venezuela, ¿verdad?	Sí, las hizo para ir a Venezuela.
¿Las hizo hoy?	No, no las hizo hoy.

| ¿Cuándo las hizo, ayer o la semana pasada? | Las hizo ayer. |
| Y hoy, el Sr. Romero fue a recoger los pasajes, ¿no? | Sí, hoy fue a recogerlos. |

Bien. ¡Escuche!

Empleada: ¿A nombre de quién hizo su esposa las reservas?

Sr. Romero: A mi nombre: Nicolás Romero.

Empleada: Un momento ... ahora lo busco en el ordenador. Sí, aquí está. Cuatro pasajes de ida y vuelta en clase turista. Con salida el 27 de mayo y vuelta el 14 de junio.

Sr. Romero: Exactamente.

¡Conteste!

¿Hizo la Sra. Romero sólo una reserva?	No, no hizo sólo una reserva.
¿Cuántas reservas hizo?	Hizo cuatro reservas.
¿Las hizo sencillas o de ida y vuelta?	Las hizo de ida y vuelta.
¿Ya salieron los Romero para Venezuela?	No, aún no salieron para Venezuela.
¿Saldrán en mayo?	Sí, saldrán en mayo.

Bien. ¡Repita!

Aún no salieron.

Saldrán en mayo.

Aún no visité Venezuela.

El próximo mes visitaré …	El próximo mes visitaré Venezuela.
Aún no confirmamos nuestro vuelo. Mañana …	Mañana confirmaremos nuestro vuelo.
Aún no tomó Ud. las vacaciones. El próximo mes …	El próximo mes tomará las vacaciones.
El año pasado fui a Europa. El año próximo …	El año próximo iré a Europa.
La semana pasada Ud. viajó en clase turista. La semana próxima …	La semana próxima viajará en clase turista.
Ayer hice un viaje de negocios. Mañana …	Mañana haré un viaje de negocios.

¡Muy bien! Ahora, ¡escuche!

Sr. Romero: Nos recogerán en el aeropuerto para llevarnos al hotel, ¿verdad?

Empleada: Claro que sí. Todo está incluido en el precio.

Sr. Romero: ¿Y quién vendrá a recogernos?

Empleada: Nuestro representante los esperará al bajar del avión y los llevará al hotel.

Sr. Romero: Perfecto. Entonces, si todo está en orden, le escribiré el cheque ahora mismo.

Empleada: Muy bien. Enseguida le preparo los pasajes.
Sr. Romero: De acuerdo.

¡Conteste!

¿Recogerán a los Sres. Romero en el aeropuerto?

Sí, los recogerán.

Los recogerá un representante de la agencia de viajes, ¿verdad?

Sí, los recogerá un representante de la agencia de viajes.

¿Los llevará a la playa?

No, no los llevará a la playa.

¿Adónde los llevará?

Los llevará al hotel.

Este servicio está incluido en el precio, ¿verdad?

Sí, está incluido en el precio.

¿Está todo en orden?

Sí, todo está en orden.

¿Va a pagar en efectivo el Sr. Romero?

No, no va a pagar en efectivo.

¿Escribirá un cheque?

Sí, escribirá un cheque.

Entonces, si todo está en orden, escribirá un cheque, ¿no?

Sí, si todo está en orden, escribirá un cheque.

Bien. Ahora, ¡repita!

Todo está en orden. Escribe un cheque.
Si todo está en orden, escribirá un cheque.

Compro los pasajes ahora.
Si todo está en orden, compraré …

Si todo está en orden, compraré los pasajes ahora.

Los Romero salen en mayo.
Si todo está en orden, …

Si todo está en orden, saldrán en mayo.

Nos llevan al hotel.
Si todo está en orden, …

Si todo está en orden, nos llevarán al hotel.

Facturo el equipaje.
Si …

Si todo está en orden, facturaré el equipaje.

Nicolás firma el formulario.

Si todo está en orden, firmará el formulario.

Los Romero van a buscar el equipaje al mostrador.

Si todo está en orden, irán a buscar el equipaje al mostrador.

Muy bien. Ahora, ¡escuche otra vez y repita!

– ¡Buenos días!
   Mi esposa y yo estuvimos aquí hace un par de días
   pidiendo información sobre viajes organizados a Venezuela.
   Ayer ella hizo cuatro reservas por teléfono
   y hoy vengo a pagar los pasajes y recogerlos.
– Muy bien, señor.
   ¿A nombre de quién hizo su esposa las reservas?
– A mi nombre: Nicolás Romero.
– Un momento …
   ahora lo busco en el ordenador.

Sí, aquí está.
Cuatro pasajes de ida y vuelta en clase turista.
Con salida el 27 de mayo
y vuelta el 14 de junio.

– *Exactamente.*
 Nos recogerán en el aeropuerto
 para llevarnos al hotel, ¿verdad?
– *Claro que sí.*
 Todo está incluido en el precio.
– *¿Y quién vendrá a recogernos?*
– *Nuestro representante los esperará al bajar del avión*
 y los llevará al hotel.
– *Perfecto.*
 Entonces, si todo está en orden,
 le escribiré el cheque ahora mismo.
– *Muy bien.*
 Enseguida le preparo los pasajes.
– *De acuerdo.*

¡Fantástico! Éste es el final del capítulo número 11. ¡Gracias … y … hasta la próxima!

Capítulo 12

Manuel Salgado, mexicano y hombre de negocios, llegó al aeropuerto Barajas de Madrid a las ocho y cuarto de la mañana. Fue directamente al mostrador de la aerolínea y habló con una de las empleadas.

¡Escuche!

Sr. Salgado: *Buenos días, ¿cuándo sale el próximo vuelo del puente aéreo para Barcelona?*

Empleada: *Hace cinco minutos que salió un vuelo. El próximo saldrá a las ocho y veinticinco. ¿Ya tiene Ud. su pasaje?*

Sr. Salgado: *Sí, aquí está.*

¡Conteste!

¿Quiere el Sr. Salgado ir a Bogotá?	No, no quiere ir a Bogotá.
¿ Adónde quiere ir?	Quiere ir a Barcelona.
¿Ya habló con una empleada?	Sí, ya habló con una empleada.
¿Ya tiene el Sr. Salgado su pasaje?	Sí, ya lo tiene.
¿Preguntó cuándo llega el próximo vuelo?	No, no preguntó cuándo llega el próximo vuelo.
Preguntó cuándo sale, ¿verdad?	Sí, preguntó cuándo sale.
¿Ya salió su vuelo?	No, todavía no salió.

Bien. ¡Ahora, repita!

¿Ya salió su vuelo?

Sí, ya salió.

No, todavía no salió.

¿Ya tiene su pasaje?

Sí, ya lo …   Sí, ya lo tiene.

No, todavía no lo …   No, todavía no lo tiene.

¿Ya hizo la reservación?

Sí, ya …   Sí, ya la hizo.

No, todavía …   No, todavía no la hizo.

¿Ya recogió los boletos?

Sí, …   Sí, ya los recogió.

No, …   No, todavía no los recogió.

¿Ya tomó las tarjetas de embarque?

Sí …   Sí, ya las tomó.

No, …   No, todavía no las tomó.

¿Ya mostró el pasaporte?

Sí, …   Sí, ya lo mostró.

No, …   No, todavía no lo mostró.

Muy bien. ¡Ahora, escuche!

Empleada: *¿Tiene Ud. equipaje para facturar, Sr. Salgado?*

Sr. Salgado: *No, llevo sólo equipaje de mano, este maletín.*

Empleada: *Muy bien, pues todo está en orden. Ya puede pasar a la sala de espera del puente aéreo.*

¡Conteste!

¿Lleva el Sr. Salgado mucho o
poco equipaje?   Lleva poco.

¿Necesita facturarlo?   No, no necesita facturarlo.

Lleva equipaje de mano, ¿verdad?   Sí, lleva equipaje de mano.

¿Pasará a la sala de espera?   Sí, pasará a la sala de espera.

Bien. ¡Ahora, escuche!

Empleada: *… Ya puede pasar a la sala de espera del puente aéreo.*

Sr. Salgado: *Pero, ¿no necesito tarjeta de embarque?*

Empleada: *No la necesita en el servicio del puente aéreo. No tenemos sección de fumadores y tampoco asignamos asientos.*

Sr. Salgado: *Entonces esperaré cerca de la puerta de embarque porque prefiero tomar un asiento al lado de la ventanilla. Muchas gracias.*

Empleada: *De nada … y, ¡Buen viaje, Sr. Salgado!*

¡Conteste!

¿Esperará el Sr. Salgado cerca de   Sí, esperará cerca de la puerta de
la puerta de embarque?   embarque.

¿Quiere tomar un asiento al lado del pasillo?	No, no quiere tomar un asiento al lado del pasillo.
Prefiere tomar un asiento al lado de la ventanilla, ¿verdad?	Sí, prefiere tomar un asiento al lado de la ventanilla.
Perdón, ¿dónde prefiere tomarlo?	Prefiere tomarlo al lado de la ventanilla.

Bien. ¡Ahora, repita!

Prefiere tomar un asiento al lado de la ventanilla.
Prefiere tomarlo al lado de la ventanilla.
Prefiere llevar su equipaje de mano.

Prefiere …	Prefiere llevarlo.
Podremos conseguir los asientos.	
Podremos …	Podremos conseguirlos.
Pudieron hacer las reservas por teléfono.	
Pudieron …	Pudieron hacerlas por teléfono.
Tengo que apuntar la fecha en la agenda.	
Tengo …	Tengo que apuntarla en la agenda.
Quiso tomar su desayuno en el avión.	Quiso tomarlo en el avión.

Muy bien. ¡Escuche!

Después del vuelo de menos de una hora, el Sr. Salgado llegó al aeropuerto de Barcelona. Enseguida buscó un taxi.

¡Escuche!

Taxista: ¿Adónde lo llevo, señor?

Sr. Salgado: Por favor, vía Augusta número 361. Necesito estar allí a las diez y media.

Taxista: Con tantos coches a esta hora va a ser difícil, pero trataré de hacerlo.

Sr. Salgado: ¡Hágalo, por favor! Tengo que asistir a una reunión muy importante …

¡Conteste!

¿Quiere el Sr. Salgado ir a la vía Augusta?	Sí, quiere ir a la vía Augusta.
¿Va a tomar el autobús?	No, no va a tomar el autobús.
¿Cómo irá?	Irá en taxi.
¿Tiene que asistir a una reunión?	Sí, tiene que asistir a una reunión.
¿Es la reunión por la tarde o por la mañana?	La reunión es por la mañana.
La reunión es a las diez y media, ¿verdad?	Sí, la reunión es a las diez y media.
Pero, con tantos coches va a ser difícil llegar a esa hora, ¿verdad?	Sí, va a ser difícil llegar a esa hora.
¿Tratará el taxista de hacerlo?	Sí, tratará de hacerlo.

Muy bien. Ahora ¡escuche otra vez y repita!

– Buenos días,
  ¿cuándo sale el próximo vuelo
  del puente aéreo para Barcelona?

- Hace cinco minutos que salió un vuelo.
  El próximo saldrá a las ocho y veinticinco.
  ¿Ya tiene Ud. su pasaje?
- Sí, aquí está.
- ¿Tiene Ud. equipaje para facturar, Sr. Salgado?
- No, llevo sólo equipaje de mano, este maletín.
- Muy bien.
  Entonces todo está en orden.
  Ya puede pasar a la sala de espera del puente aéreo.
- Pero, ¿no necesito tarjeta de embarque?
- No la necesita en el servicio del puente aéreo.
  No tenemos sección de fumadores
  y tampoco asignamos asientos.
- Entonces esperaré cerca de la puerta de embarque
  porque prefiero tomar un asiento al lado de la ventanilla.
  Muchas gracias.
- De nada …
  y ¡buen viaje, Sr. Salgado!
- ¿Adónde lo llevo, señor?
- Por favor, vía Augusta número 361.
  Necesito estar allí a las diez y media.
- Con tantos coches a esta hora
  va a ser difícil,
  pero, trataré de hacerlo.
- ¡Hágalo, por favor!
  Tengo que asistir a una reunión muy importante.

¡Excelente! Éste es el final del capítulo 12. ¡Muchas gracias … y … adiós!